멈춰서고, 바라본 그곳에는

멈춰서고, 바라본 그곳에는

김태연
이은숙
송준희
경이
류해아
박제
이도규
노혜선

글Ego

'어쩌다 보니'라는 말을 좋아한다. 다양한 상황에서 쓰이지만, 그중에서 '다사다난했지만 결과가 꽤 마음에 들지만 아직은 얼떨떨하다.'라고 사용될 때, 그때 사람들의 미묘한 표정과 눈빛, 분위기를 눈에 새겨두곤 한다. 복잡한 감정을 세세하게 나열하지 않고 한 단어로 뭉뚱그리는 게 앙증맞다. 청첩장을 돌리며, 본인의 근속연수가 두 자릿수임에 놀라며, 내년에 출간하게 될 책의 최종 원고를 업로드하며. 고민하는 시간을 벌기 위해서 음, 뭐 따위처럼 짧게 입술을 스치는 소리를 내다가 잠깐 사이의 정적. 적절한 문장이 떠오르지 않아 미루고 미루다가 하게 되는 말.

'의지와 상관없이 우연히'란 의미를 지니지만 우연이라고 하기에는 수많은 선택이 이어져 있다. 계속한다, 그만한다 사이에서 고민하다가 첫 번째 선택지를 고르고 그다음에도 최근에도 이전과 동일한 선택지를 가리킨다.

인생이라는 항해에서 저마다의 선택이 뱃머리의 방향을 바꾼다면, '어쩌다 보니'는 언제나 생각하지 못한 곳으로 배를 이끈다. 익숙하지 않을 뿐 도달한 곳은 결국에는 마음에 들게 된다. 글을 쓰면서 이게 맞는지 고민하던 순간이 잦았다. 그 시간은 글 곳곳에 스며들었다. '어쩌다 보니' 책을 읽게 된 당신이 글을 쓴 우리와 같은 곳에서 멈출지 이 책이 당신을 어디로 이끌지 궁금하다.

- 공동저자 中 류해아

차 례

미소의 가격표

김태연

김태연 20년 넘게 명품 화장품 브랜드에서 일하며 수많은 고객을 만나온 경험을 바탕으로, 인간관계 속 감정 노동과 미소의 무게에 대한 깊은 통찰을 글에 담아내고 있습니다. 섬세한 감정 표현과 내면의 이야기를 풀어내는데 탁월하며, 일상 속에서 쉽게 지나칠 수 있는 작은 순간들에 담긴 의미를 탐구합니다. 현재는 퍼스널 이미지와 향기를 결합한 새로운 비지니스를 준비하며, 사람들의
감각과 감정을 이끌어내는 작업을 이어가고 있습니다.

email: xodus7033@naver.com

꿈과 현실의 교차

2003년 3월, 나는 명품 화장품 브랜드에서 첫 출근을 했다. 백화점은 그 자체로 화려한 세상이었다. 반짝이는 조명 아래, 유리 진열장에 가지런히 놓인 고급스러운 화장품과 향수들. 그 속에서 빛나는 내 모습을 상상하는 것만으로도 가슴이 벅차올랐다. 백화점 출입문을 통과할 때마다 나는 마치 무대 위로 올라서는 배우처럼 느껴졌다. 그 순간만큼은 나도 그 화려한 세계의 일부가 된 것 같았다.

출근 첫날, 나는 거울을 보며 웃었다. "오늘부터 나는 이 세상에 속해 있다." 미소는 진심이었다. 나는 화려한 세상에서 나를 드러낼 준비가 되어 있었다. 고객들이 내게 기대하는 것은 아름다움과 우아함, 그리고 고급스러운 경험을 전달하는 사람이 되는 것이었다. 그 꿈은 나를 가슴 뛰게 했고, 나에게 주어진 그 역할에 충실하고자 하는 마음이 강했다.

백화점의 공기는 활기차고, 모든 것이 반짝였다. 향수의 향이 공기 중에 퍼져 있었고, 고객들의 발걸음 소리가 규칙적으로 울려 퍼졌다. 이 모든 것은 나에게 낯설면서도 설레는 풍경이었다. 사람들의 눈빛에서 느껴지는 기대감은 내가 맞이해야 할 것들이었다. 나는 고객에게 미소를 건네고, 그 미소가 그들의 마음을 따뜻하게 만들 것이라는 확신이 있었다.

'미소 하나로 사람을 기쁘게 할 수 있다면, 나는 얼마든지 웃을 수 있다'는 생각이 가슴속에 자리 잡고 있었다.

그러나 그 설렘은 오래가지 않았다. 고객을 맞이할 때마다 자연스럽게 나오는 미소는 곧 무겁게 느껴지기 시작했다. 그날 이후로, 첫날의 환희는 점차 희미해져 갔다. 매일 반복되는 업무 속에서 웃음은 더 이상 기쁨이 아닌, 일의 일환처럼 느껴지기 시작했다. 그때부터 웃음은 나를 보호하는 방패가 아니라, 숨기 위한 가면이 되어버렸다.

꿈에 그리던 화려한 세상에 서 있는 나는 여전히 미소를 띠고 있었지만, 그 미소가 조금씩 달라지고 있었다.

입사한 지 6개월쯤 되었을 무렵, 나는 나의 첫 번째 '특별한' 고객을 마주했다.

한 남자가 내가 일하는 매장으로 들어와 향수 100ml를 구매하고 싶다고 말했다. 나는 여느 때처럼 그에게 환하게 미소를 지으며, 그의 요구를 들어주었다. 나는 그 남자가 건넨 수표에 서명을 요청했다. "수표 뒤에 성함과 주민등록번호, 전화번호를 기재해 주시겠어요?" 내가 늘 하던 절차였다. 그러나 그날은 달랐다. 싸늘한 공기가 느껴지면서 나를 바라보았다. 남자의 얼굴은 순식간에 굳어졌고, 목소리는 얼음처럼 차가워졌다.

"백화점 담당 불러. 야! 이씨! 쳐다보지 말고, 빨리 하라는 대로 해!"

그의 말 한 마디가 나를 얼어붙게 했다. 그 순간, 내가 서 있던 그 화려한 백화점도, 향수의 향도, 내 미소도 다 의미를 잃는 것 같았다. 나는 그가 내미는 차가운 표정을 마주하며 눈길을 피하고 싶었지만, 그럴 수 없었다. 그 순간의 공기는 숨이 막힐 듯 무거웠다. 어떻게 해야 할지 몰랐다. 고객의 말 대로 백화점 관계자를 불렀고, 상황은 더 나빠졌다. 그는 나를 향해 무시하듯 말을 내뱉었고, 그 무게가 나의 마음을 짓눌렀다. 나를 바라보는 그의 차가운 시선 속에서 나는 다시 미소를 지어야 했다. 그 미소는 더 이상 나의 것이 아니었다.

고객과의 갈등이 커지자, 나는 그에게 사과를 하라는 요청을 받았다. 백화점 사무실에서 90도로 허리를 숙이며 고객 앞에서 사과를 했다.

"죄송합니다, 제가 입사한지 얼마 안 돼서…정말 죄송합니다"

(절차대로 한 일에 내가 잘못한 것이 뭔데?) 어린 나이에 전혀 이해를 할 수 없었다.

이 구역의 미친놈은 '나' 라는 듯. 그냥 가죽재킷의 오토바이 라이더 느낌에 조폭같이 생기지도 않은 조폭이었다.

억지로 짓는 미소와 사과의 말들이 내 안에 남은 마지막 자존심을 흔들었다. 그 순간, 나는 깨달았다. 이곳에서 나의 미소는 진정한 감정이 아니라는 것을. 나의 첫 출근 때의 그 반짝이는 웃음은 이제 더 이상 나의 얼굴에서 자연스럽게 피어오르지 않았다.

사무실을 나서는 길에 나의 얼굴에서는 미소가 사라졌다. 그 대신, 마음 깊숙한 곳에서부터 무거운 감정이 나를 짓누르고 있었다. 나는 이제 그 미소가 내 자아를 가리는 가면이라는 사실을 알게 되었다. 처음에는 고객을 기쁘게 하기 위해 웃는 것이 당연하다고 생각했지만, 그 미소가 시간이 지날수록 나를 숨기는 도구로 변해버렸다.

나는 그날 처음으로 깨달았다. 웃음은 단순한 감정 표현이 아니다. 때로는 그것이 무겁고, 나를 숨기는 힘이 될 수도 있다는 것을. 백화점의 화려한 세계에 서 있던 나는 이제 나 자신이 누구인지, 내가 왜 이곳에 있는지 다시 생각하게 되었다. 그날의 미소는 내게 너무나도 큰 무게로 다가왔다.

억지로 지은 웃음의 시작

첫 클레임 후의 변화

첫 클레임 사건 이후, 나는 고객 앞에서 달라진 나를 발견했다. 그날의 기억은 여전히 생생했다. 차가운 목소리, 굳어진 얼굴, 그리고 내 앞에서 권위를 휘두르던 고객의 모습. 그 순간부터 내 안에는 작은 금이 가기 시작했다. 고객이 무엇을 요구하든, 나의 미소는 그들을 진정시키기 위한 도구로 변해갔다. 나의 감정을 숨기기 위한 가면처럼 느껴졌다. 입꼬리를 올리면서도 내 마음은 점점 더 무거워졌다.

처음에는 미소를 유지하는 것이 단지 일의 일부라고 생각했다.

"이건 당연한 거야. 서비스업에서는 고객을 기쁘게 해야 해."라고 나 자신을 설득했다.

하지만 그 미소는 점차 내 의지와 상관없이 자동으로 지어졌다. 고객의 말에 귀를 기울이고, 문제를 해결하는 동안 내 얼굴은 늘 같은 웃음을 띠고 있었지만, 그 순간 나의 내면에서는 무언가가 부서지고 있다는 것을 느꼈다. 미소를 짓는 것이 마치 방어 기제가 되어버린 듯했다. 나는 그 미소 뒤에 내 진짜 감정을 숨기고, 고객과의 불편한 상황을 견디기 위해 그 미소를 더욱 단단하게 만들었다.

고객 앞에서의 미소, 그 이면

미소는 내가 고객에게 보여주는 첫 인사였다. 그 미소는 마치 "나는 당신의 요구를 다 들어줄 준비가 되어 있습니다." 라는 무언의 약속과도 같았다.

하지만 나는 알게 되었다. 그 미소가 내 자발적인 것이 아니라는 사실을. 고객을 기쁘게 하기 위해서, 상사의 눈 밖에 나지 않기 위해서 나는 억지로 미소를 지어야 했다. 고객이 제품을 고르고, 샘플이 부족하다며 불만을 터뜨리던 순간에도 나는 여전히 웃어야 했다.

"고객님, 죄송합니다. 저희가 준비한 샘플은 이게 전부입니다."

그 말을 내뱉으면서도 내 속에서는 분노와 무력감이 섞여 타올랐다. 하지만 그 감정을 드러낼 수 없었다. 나는 여전히 웃어야 했기 때문이다.

한 번은 70만원 상당의 고가의 제품들을 구매한 고객이 샘플이 적다는 이유로 불평을 30분 넘게 딜을 하며 시간은 흘러갔다. 나는 최대한 부드러운 미소로 그에게 설명했다.

"고객님, 저희는 제품과 어울리는 최고 품질의 샘플을 제공해드리고 있습니다." 그 말이 끝나자마자, 그는 더 큰 소리로 나를 비난하기 시작했다. 그 순간에도 내 얼굴에는 여전히 미소가 남아 있었다. 얼굴 근육은 내 의지와 상관없이 굳어 있었고, 내 안에서는 답답함과 억울함이 소용돌이쳤다.

미소와 내면의 충돌

고객이 떠나고 나서야 나는 그 미소를 내려놓을 수 있었다. 고객이 요구하는 것은 단순한 미소가 아니었다. 그들은 내 감정을 숨기고, 그들만의 세상을 유지하기 위해 나의 모든 것을 요구했다. 하지만 정작 나는 그 요구를 들어줄수록 내 안에서 뭔가 무너져 내리는 것을 느꼈다. 억지로 지어진 웃음은 나의 자아를 갉아먹었고, 나는 점점 더 지쳐 갔다.

하루가 끝날 무렵, 나는 매일 같은 생각을 반복했다.

'이 미소가 진짜 내 것일까?'

억지로 지어야만 하는 웃음은 나의 내면을 갉아먹었고, 그 미소 뒤에 숨겨진 나의 진짜 감정은 점점 사라져갔다. 그 웃음은 나를 감추는 도구였고, 나는 그 도구에 점점 익숙해져 가고 있었다. 하지만 그럴수록 내 안의 진짜 나는 점점 더 희미해져 갔다.

내면의 무너짐과 미소의 대가

억지로 지은 미소는 결국 나의 내면을 잠식하기 시작했다. 웃음을 지을수록 나 자신은 더 깊은 곳으로 숨어들었고, 그 미소는 더 이상 나를 지키는 방패가 아니었다. 오히려 나를 가리는, 나를 잃어가게 만드는 가면이 되어버렸다. 하루가 끝나면 나는 그 미소를 거두고 싶었지만, 그 미소는 쉽게 사라지지 않았다. 얼굴에 새겨진 그 웃음은 마치 내 진짜 표정인 것처럼 남아 있었다.

미소는 더 이상 나의 선택이 아니었다. 그것은 나의 생존 수단이자, 고객과의 관계를 이어가는 필수 조건이 되었다. 하지만 그 대가로 나는 나 자신을 조금씩 잃어가고 있었다. 억지로 지은 웃음의 무게는 하루하루 더해졌다. 그 무게를 견디며 지쳐가던 나는, 문득 내 가족과의 관계 속에서도 같은 무게를 느끼고 있음을 깨달았다.

어릴 적부터 나를 지탱해왔던 웃음은 과연 진정한 웃음이었을까?

가정에서도, 나는 웃음을 통해 무언가를 숨기고 있었던 것은 아닐까?

내 안의 감정은 억눌리고, 그 감정은 표면에 드러나지 못한 채 내 안에서 고여 있었다.

나는 결국 깨달았다. 웃음은 이제 더 이상 내가 느끼는 감정을 반영하지 않았고, 그저 고객을 진정시키기 위한 도구일 뿐이었다.

웃음의 두 얼굴

미소 뒤의 감정적 가면

고객 앞에서 웃음을 짓는 것은 내 일의 중요한 부분이었다. 그러나 그 웃음이 점차 나를 감추는 가면으로 변해갔다. 처음에는 고객을 기쁘게 만들기 위한 진심에서 우러나온 미소였지만, 시간이 지나면서 그것은 강요된 표정이 되어갔다. 내가 어떤 감정을 느끼든 상관없이, 고객은 나에게 웃음을 기대했다. 마치 그것이 당연한 것처럼.

"환영합니다!"

라고 밝게 인사를 건네며 입꼬리를 올리는 순간, 내 안에 감춰둔 감정들은 사라진 듯했다. 그 미소는 나의 불안과 피로를 감추는 완벽한 방패였다. 하지만 그 방패 뒤에는 나 자신을 잃어가는 또 다른 내가 있었다. 하루 종일 고객을 상대하는 동안, 나는 내가 누구인지조차 잊어가고 있었다. 웃음은 내가 그들에게 제공해야 할 서비스의 일부분이었지만, 그 웃음이 내 진정한 감정을 얼마나 가리고 있었는지 깨닫기까지는 오랜 시간이 걸렸다.

고객을 위한 웃음, 나를 잃어가는 과정

어느 날, 고객이 매장에 들어와서 불만을 터뜨렸다.

"다른 매장에서는 더 많은 샘플을 주던데 여기는 왜 이리 짜죠?"

나는 여느 때처럼 웃으며 대답했다.

"고객님, 저희는 제품에 어울리는 최고 품질의 샘플을 정성스럽게 준비하고 있습니다."

하지만 내 말이 끝나기도 전에 그는 불만을 쏟아냈다.

"그냥 좀 더 챙겨주면 될 거 아니에요? 이 까짓 거 얼마나 한다고, 진짜! 내가 이런 꼴로 와서 무시하는 거야?! 내 친구들은 많이도 주더만! 안 오면 그만이야! 명품이 얼마나 대단하다고! 지들이 명품인 줄 아나, 진짜."

그 순간에도 나는 웃어야 했다. 고객이 떠난 후, 그 미소는 피곤함과 무력감으로 변했다.

그런 일이 반복될수록 내 안에서 무언가가 조금씩 사라져갔다. 처음에는 고객을 기쁘게 만들기 위한 미소였지만, 이제는 그저 직업적 의무로 남아버린 미소였다. 더 이상 그 미소는 나의 감정을 반영하지 않았다. 그것은 오직 고객을 위한 것이었고, 나는 그 미소 뒤에서 내 감정을 가둬야만 했다. 미소는 고객과의 관계를 이어가는 필수적인 도구였지만, 그 대가로 나는 내 자신을 조금씩 잃어가고 있었다.

영화 '조커'와의 공감

영화 '조커'에서 주인공 아서 플렉이 사람들에게 웃음을 주려고 애쓰지만, 그 웃음 뒤에 숨겨진 고독과 고통을 견디지 못하고 결국 파멸에 이르는 과정을 보며 나는 깊은 공감을 느꼈다.

아서의 웃음은 사람들에게 위로를 주고 그들을 즐겁게 만들기 위한 것이었지만, 그 웃음 뒤에는 상처받고 억눌린 감정들이 가득했다. 나역시 고객을 위해 미소를 지어야 했고, 그 미소는 내가 느끼고 있는 감정을 숨기기 위한 방패가 되어 있었다.

고객 앞에서 웃을 때마다, 나는 그 웃음 속에 내 감정을 숨겼다. 웃음은 고객에게는 안도감을 주었겠지만, 나에게는 무거운 짐이었다. 아서 플렉이 웃음 속에서 자신의 존재를 잃어가던 것처럼, 나도 웃음속에서 점점 내 자신을 잃어갔다. 웃음은 나를 보호해주는 역할을 했지만 동시에 나를 고립시키고 있었다. 내가 진정으로 느끼는 감정들은 웃음 뒤에 가려져 있었고, 그 감정들은 아무도 알 수 없었다.

웃음의 두 얼굴

미소는 사람을 기쁘게 만들고, 관계를 부드럽게 해주는 힘이 있다. 하지만 그 미소가 진정한 나의 감정을 반영하지 않는다면, 그것은 오히려 나를 숨기는 가면이 된다. 고객 앞에서 나는 언제나 미소를 지었지만, 그 미소는 내가 누구인지 잊게 만들었다. 웃음을 지을 때마다 나는 내 자아를 조금씩 잃어갔다. 내가 느끼는 진짜 감정은 그 미소 뒤에 감춰져 있었고, 그 감정들은 누구에게도 드러낼 수 없었다.

미소를 지을 때마다 나는 그 미소가 내 진정한 얼굴이 아닌, 세상이 원하는 얼굴이라는 생각에 사로잡혔다.

나는 고객을 위해, 동료를 위해, 그리고 상사를 위해 웃어야 했고, 그 웃음 속에서 나의 진짜 모습은 점점 더 희미해져 갔다. 그 미소는 나를 지키기 위한 것이었지만, 결국에는 나를 잃어가게 만드는 도구가 되었다. 웃음은 나의 진정한 감정을 억누르는 가면이었고, 나는 그 가면을 벗을 수 없었다.

미소와 자아 회복의 필요성

미소의 두 얼굴을 이해하게 된 것은 내가 그 미소의 무게를 감당하지 못할 때였다.

하루가 끝날 때마다 나는 미소를 내려놓고 싶었지만, 그 미소는 쉽게 사라지지 않았다. 억지로 지어야만 했던 웃음은 내 안에 깊이 새겨져 있었다. 하지만 나는 깨달았다. 내가 고객을 위해 웃음을 지을 때마다, 나는 나 자신을 잃고 있었다는 사실을. 나의 진정한 감정을 드러내지 않고 억누르는 것이 얼마나 나를 무너뜨렸는지 알게 되었다.

이제 나는 더 이상 웃음을 가면으로 사용하고 싶지 않았다. 내 안의 진짜 감정을 억누르고 그 위에 미소를 덧씌우는 대신, 그 감정을 있는 그대로 인정하고 받아들이고 싶었다. 웃음은 고객에게 친절함을 전달하는 중요한 도구일 수 있지만, 그 도구가 나를 잃어가게 해서는 안 된다는 것을.

가족과 웃음의 무게

늦둥이 외동딸로서의 자리

나는 외동딸로 자랐다. 하지만 그저 외동딸일 뿐만 아니라, 늦둥이로 태어났기에 부모님과 나 사이에는 친구들의 부모와는 달리 깊은 세월의 간격이 있었다. 부모님의 얼굴에는 시간이 남긴 주름이 자리 잡고 있었고, 그들의 걸음은 언제나 느리고 조용했다. 나는 어릴 때부터 자연스럽게 혼자 있는 시간에 익숙해져 갔다. 친구들은 부모님과 손을 잡고 뛰놀았지만, 우리 집은 언제나 고요했고, 그 고요함은 나를 점점 더 깊은 외로움 속으로 밀어넣었다.

유치원에서 돌아오면, 적막함이 나를 맞이했다. 그 적막함 속에서 나는 나의 하루를 누구와도 나눌 수 없었다. 부모님과의 대화는 짧았고, 그들의 사랑은 내게 깊이 와닿았지만, 어쩐지 그 사랑마저도 내 외로움을 채우기엔 부족했다. 우리 사이에는 보이지 않는 벽이 있었고, 나는 그 벽 너머로 다가갈 수 없었다.

그러던 어느 날, 부모님의 지인들이 집에 찾아왔다. 거실은 어른들의 웃음과 대화로 가득 찼지만, 그 소리는 마치 먼 곳에서 들려오는 메아리처럼 내게서 점점 멀어져 갔다. 나는 그들 속에 들어가지 못한 채, 마치 투명한 존재처럼 그 자리에 있었다. 부모님도, 그들의 친구들도 나를 보지 않았다. 나의 존재는 그 순간, 그들의 세계에서 완전히 지워져 버린 듯했다.

나는 조용히 문을 열고 밖으로 나갔다. 차가운 바람이 얼굴을 스쳤고, 나는 마당에 있는 나무들을 바라보며 혼자 남은 기분에 사로잡혔다. 바람에 흔들리는 나뭇가지 사이로, 나만의 이야기를 속삭였다. 그러나 그 속삭임조차 아무도 듣지 않았다. 혹은, 집 안 구석 어디엔가 숨어서, 누군가 나를 찾아주길 기다렸다. 하지만 그 누구도 내 이름을 부르지 않았고, 그들은 나의 존재를 잊은 듯했다.

어린 마음 속에서 밀려오는 서러움에, 나는 그저 조용히 숨죽이며 마음속에 쌓여가는 눈물을 삼켰다. 내게 닿지 않는 그 따뜻한 시간들 속에서, 나는 혼자였다. 어른들의 웃음이 가득한 집안에서 나는 보이지 않는 존재가 되어, 그들이 모르는 내 슬픔과 함께 나만의 외로움에 잠겨 있었다.

유일한 친구, 나의 삐삐

그럴 때마다 내 곁을 지켜준 유일한 존재가 있었다.

바로 초등학교 시절, 나를 반겨주던 작은 강아지였다. 학교에서 돌아오면 문 앞에서 나를 기다리던 그 녀석은 나에게 있어 친구 그 이상의 존재였다. 삐삐가 꼬리를 흔들며 나를 맞이할 때, 나는 비로소 내 하루의 외로움이 조금은 사라진 듯한 기분이 들었다. 부모님과 나눌 수 없었던 이야기들을 나는 삐삐에게 속삭였다. 물론, 삐삐는 나의 말을 이해하지 못했겠지만, 그 존재만으로도 충분했다. 나에게는 삐삐가 전부였으니까.

우리가 함께했던 시간은 짧았지만, 나에게는 잊을 수 없는 기억들로 남아 있다. 학교에서 돌아오는 길, 나는 삐삐를 생각하며 집에 가는 발걸음을 재촉하곤 했다. 그 작은 몸이 내 곁에서 뛰어다니며 나의 발에 살짝 몸을 비비고, 나를 향해 밝게 웃는 모습은 내가 하루 종일 기다리는 순간이었다.

삐삐와 있을 때만큼은 웃음이 내 안에서 자연스럽게 흘러나왔다. 나는 삐삐 앞에서만큼은 억지로 웃을 필요가 없었다. 그 녀석은 내 진짜 감정을 있는 그대로 받아주었으니까.

하지만 어느 날, 삐삐는 사라졌다. 내가 아무런 예고도 없이 맞이한 이별이었다. 집에 돌아와 그 녀석이 없다는 사실을 깨닫는 데는 오래 걸리지 않았다. 삐삐가 없다는 것을 알게 되었을 때, 나는 온 집안을 돌아다니며 그 녀석을 찾았다.

"어디 갔지? 분명히 여기 있을 텐데..."

하지만 삐삐는 어디에도 없었다. 불안한 마음으로 부모님께 물어봤다. 그들은 아무렇지 않은 듯, 삐삐를 다른 곳에 보냈다고 했다.

그 말은 마치 내 심장을 찌르는 듯한 충격이었다.

왜? 이유는 무엇일까? 그저 더 이상 키우기 힘들어서였을까, 아니면 나를 위한 선택이었을까?

그 순간 나는 나의 유일한 친구를 잃었다는 사실을 받아들여야 했다. 그 녀석은 더 이상 나를 기다려주지 않을 것이었고, 나는 더 이상 그에게 나의 이야기를 할 수 없을 것이었다. 삐삐가 사라진 빈자리는 생각보다 컸고, 그 상실감은 시간이 지날수록 더 커져갔다. 부모님은 그저 나를 위해서 한 결정이었다고 생각하셨겠지만, 나에게는 그것이 무언가를 앗아간 상실감으로 남았다.

부모님 앞에서의 미소

그 후로 나는 더 자주 부모님 앞에서 웃어야만 했다. 삐삐가 사라지면서 생긴 공허함을 부모님께 보여줄 수 없었기 때문이다. 나는 이미 늦둥이 외동딸로서 많은 사랑과 관심을 받고 있다고 생각했고, 부모님을 더 이상 걱정시키고 싶지 않았다. 그들의 기대 속에서, 나는 괜찮은 딸로 보이고 싶었고, 그래서 더 크게 웃어야 했다. 그 웃음은 내가 느끼는 진짜 감정과는 상관이 없었다. 삐삐 사라진 이후로 내 안에 자리 잡은 고독과 상실감은 나만의 것이었다.

부모님 앞에서 나는 여전히 밝은 딸이었다. 부모님은 내가 삐삐를 잃은 슬픔을 견뎌내고 있다고 생각했을지도 모른다. 나는 그 기대를 충족시키기 위해 웃었고, 그 웃음 속에서 나는 점점 더 고립되어 갔다. 부모님은 나의 밝은 미소를 보며 안도하셨겠지만, 그 미소 뒤에 숨겨진 감정들은 그 누구도 알지 못했다. 그저 나는 그들 앞에서 괜찮다는 듯이 행동할 뿐이었다. 내가 견뎌야 할 무거운 감정들은 시간이 지날수록 깊이 숨겨졌고, 그때마다 더 밝은 웃음으로 가려야만 했다.

내가 슬퍼하는 모습을 보이면 그들이 더 큰 부담을 느낄 것 같았기 때문이다. 부모님은 나이가 많아지면서 체력도 약해졌고, 나는 그들에게 짐이 되고 싶지 않았다. 그래서 부모님이 집에 계실 때면 나는 항상 밝게 웃으며, 괜찮다는 척을 했다. 부모님이 나의 미소를 보며 안도하실 때마다, 나는 그 미소가 더 무거워지는 것을 느꼈다.

부모님이 나를 걱정하지 않게 하려면,

내가 혼자서도 괜찮다고 믿게 하려면,

나는 그 웃음을 포기할 수 없었다.

'삐삐'가 떠난 후의 빈자리

삐삐가 사라진 그날, 나를 반겨주던 따뜻한 눈빛도, 꼬리를 흔들던 작은 몸짓도 더 이상 없었다. 차가운 공기만이 그 자리를 대신했다. 부모님은 나를 강하게 만들고 싶어했지만, 그 말은 나의 슬픔을 더 깊이 묻었다. 그날 이후, 나는 감정을 숨기는 법을 배웠다. 부모님이 원하는 대로 웃으면 모든 것이 괜찮아질 것이라고 믿었다.

그러나 삐삐가 떠난 뒤로 내 안의 세계는 얼어붙었고, 나는 더 깊은 외로움 속으로 빠져들었다. 그 이후로 쉽게 마음을 열지 못했고, 혼자라는 기분은 마치 차가운 공기 속에 갇힌 듯했다. 삐삐가 떠난 후, 내 진심은 그 누구에게도 닿지 못했다.

상담 과정에서의 자각

가면을 쓴 채 살아온 시간들

일, 회사, 가족과의 관계에서 억눌렸던 감정은 결국 상담실에서 터져 나왔다

나는 오랫동안 외동딸로서 부모님께 완벽한 딸이 되기를 강요받았다고 느꼈다. 부모님이 나보다 훨씬 나이가 많았기에, 나는 부모님들이 원하는 밝고 씩씩한 딸로서의 모습을 유지해야 했다. 나를 걱정하지 않도록, 나 스스로 웃음을 가면처럼 써야만 했다. 그 웃음은 나를 보호해 주는 것처럼 느껴졌지만, 사실은 진짜 나를 숨기고 억누르기 위한 방어기제일 뿐이었다.

어릴 적, 나를 유일하게 이해해 주었던 강아지가 부모님에 의해 다른 곳으로 보내진 후, 나의 외로움은 더욱 깊어졌다. 하지만 나는 여전히 웃어야 했다. 부모님은 내가 그저 밝고 강한 딸로 살아가기를 원했고, 나 또한 그 기대에 부응하기 위해 애썼다. 그 미소는 나를 지탱해 줄 것처럼 보였지만, 그것이 나를 얼마나 지치게 하고 있었는지 조차도 깨닫지 못한 채 시간을 보냈다.

상담실의 문을 열며

첫 클레임 사건 이 후, 나는 고객을 마주할 때마다 내 안에서 무언가가 조금씩 무너져 내리는 것을 느꼈다. 그들의 눈을 마주치기만 해도 웃음이 나를 지치게 만들었다. 그저 내 얼굴에 억지로 덧씌워진 미소 뒤에 숨을 수밖에 없었다. 하루하루가 지나갈수록 나는 더 깊은 절망 속으로 빠져들었고, 그 무거운 압박감이 내 가슴을 짓눌렀다. 상담실 의 문을 두드리기 전, 나는 더 이상 버틸 수 없다는 것을 느꼈다. 내 몸은 무겁게, 심장은 쉴 틈 없이 뛰었고, 손끝까지 떨리기 시작했다. 그때 나는 비로소 감정의 끝에 서 있다는 사실을 깨달았다. 그리고 나는 더 이상 감당할 수 없을 때, 상담실의 문을 열었다.

상담사는 조용히 내 이야기를 기다렸고, 나는 무겁게 쌓인 감정들을 천천히 꺼내기 시작했다. 입을 열기까지 시간이 걸렸지만, 결국 억눌렸던 말들이 터져 나왔다.

"…웃고 싶지 않아요……웃고 싶지 않은데…. 웃어야… 해요…"

(하염없이 눈물은 무릎 위로 흐른다)

상담사 앞에서 나는 마침내 터져 나오는 감정을 억누를 수 없었다.

'더 이상 웃고 싶지 않아요…'

내 입에서 나온 한 마디는 나를 억눌러왔던 무거운 감정을 단숨에 해방시켰다. 그동안 얼마나 참아왔는지, 그리고 그 웃음이 얼마나 나를 짓누르고 있었는지 온 몸으로 느껴졌다.

"집에서도, 회사에서도… 나는 항상 웃어야만 했어요. 사람들이 나를 무서워했을까요?

내가 괴물처럼 보였을까요?"

"…….사람들이.. 이제 무서워요.. …. "

…

통곡할 수 없이 꺽꺽 대며 가슴으로 눈물을 삼켰다.

선생님은 말없이 내 말에 귀 기울이며 말을 계속 이어가도록 끝까지 들어주었다.

그리고 조용한 공간 속에 나의 울음 소리만 이어갔다.

"…….전 부모님한테 저를 걱정하지 않도록 늘 웃어야 했어요. 부모님이 원하는 밝은 딸이 되기 위해 저는 항상 웃어야만 했어요. 그런데 사실…… 너무… 힘들었어요."

그 말이 나오자마자, 숨길 수 없는 눈물이 또다시 끊임없이 흘렀다.

그동안 눌러왔던 모든 감정들이 한꺼번에 터져 나왔다. 상담사 앞에서 처음으로 나의 진짜 감정을 드러낸 나는, 웃음이 더 이상 나를 지켜주지 않는다는 것을 깨달았다.

아빠가 떠난 후의 또다시 두려움

아빠가 떠난 2019년의 그날, 나는 그 마지막 순간에 함께하지 못했다.

새해가 오기 직전, 아빠는 나를 기다리지 않고 먼저 떠나셨다. 내가 도착했을 때, 아빠는 이미 떠나 계셨고, 나는 마지막 인사를 하지 못했다는 죄책감 속에 살아왔다.

엄마를 지켜야 한다는 책임감 때문에 나는 울 수 없었다. 울고 싶었지만, 엄마가 무너질까 봐 내 슬픔을 억눌렀다. 그때부터 나는 더 많이 웃어야만 했다. 하지만 그 웃음은 나를 더 깊은 외로움 속으로 밀어 넣었다.

아빠의 빈자리는 너무 컸고, 엄마의 건강마저 악화되면서 나는 더욱 고립되었다. 요양병원에 계신 엄마를 볼 때마다, 나는 여전히 웃음을 지어야 했다.

억눌린 감정의 해방

상담사와의 대화를 통해 나는 비로소 그동안 억눌러왔던 감정들을 꺼내놓을 수 있었다. 아빠가 떠난 후, 엄마를 위해서 더 강해져야 한다고 믿었던 나는, 이제 그 감정을 인정하고 받아들일 준비가 되었다. 더 이상 웃음으로 감정을 숨길 필요가 없다는 것을 깨달았다.

"저는 사실 너무 외로웠어요."

그 말을 하며, 나의 마음은 조금씩 가벼워졌다. 아빠를 지키지 못한 죄책감, 엄마에 대한 책임감이 나를 짓누르고 있었지만, 이제는 그 감정들과 마주할 수 있을 것 같았다. 상담을 통해 나는 나 자신을 지키기 위해 억눌렀던 감정들이 사실은 나의 일부라는 것을 알게 되었다.

부모님과의 관계를 다시 보다

부모님은 나를 사랑하셨지만, 그 사랑이 때로는 나에게 무거운 짐처럼 느껴졌다. 아빠가 떠난 후, 나는 그 사랑을 끝까지 지키지 못했다는 죄책감에 사로잡혔다. 지금 요양병원에 계신 엄마를 보면서, 그 책임감은 더욱 커졌다. 그러나 상담을 통해 나는 더 이상 완벽한 딸이 될 필요가 없다는 것을 배웠다. 엄마가 진짜로 원하는 것은 내가 강한 모습이 아닐 수도 있다는 것을 깨달았다. 이제 나는 엄마에게 내 진짜 감정을 드러내고 싶다. 더 이상 웃음으로 감정을 가리며 살지 않기로 결심했다.

웃음의 무게를 마주하며

삐삐가 떠난 뒤, 나는 더 이상 누구에게도 내 마음을 열 수 없었다. 그 따뜻한 눈빛과 나를 기다리던 몸짓이 사라진 후, 나의 세계는 차갑게 얼어붙었다. 부모님은 그저 내가 강해지기를 바랐지만, 나는 슬픔을 숨긴 채 웃음만을 선택했다. 그 웃음은 나를 지켜주는 방패였으나, 동시에 나를 점점 고립시키는 무거운 가면이 되어갔다.

회사, 사회에서도 웃음은 필수였다. 사람들은 내 진심이 아닌, 미소만을 기대했다. 나는 그 기대에 부응하기 위해 억지로 웃었다. 그러나 웃음이 반복될수록, 나는 더 깊은 외로움 속으로 빠져들었다. 웃음은 나를 숨기는 가면이 되었고, 그 가면 뒤에 나를 둘러싼 세상은 나를 투명하게 만들었고, 누구의 눈에도 보이지 않는 듯한 느낌이었다.

아빠가 떠난 후, 나는 엄마 앞에서도 여전히 웃어야만 했다. 엄마가 나를 보고 안심할 수 있도록, 나는 아빠의 부재와 그로 인한 상실감마저 미소로 덮었다. 그러나 그 웃음은 점차 나를 짓누르는 짐이 되어, 나를 더 깊은 외로움 속에 가둬버렸다.

웃음의 무게를 내려놓으며

이 글을 쓰는 동안 수차례 울컥하는 감정을 느꼈다. 마음 깊숙이 눌러두었던 감정들이 하나씩 떠오르며, 내가 얼마나 오랫동안 스스로를 억누르며 살아왔는지를 새삼 깨달았다. 웃음은 나를 지켜주는 방패가 되어줄 것이라 믿었지만, 그것은 나를 감추는 무거운 가면이었을 뿐이었다. 내가 웃음 뒤에 감춘 진짜 감정들은 점점 내면에서 부풀어 올랐고, 나는 그 무게에 짓눌리며 더 깊은 외로움 속으로 빠져들었다.

이제 나는 더 이상 이 웃음의 가면을 벗지 않고는 진정한 자유를 얻을 수 없다는 것을 깨달았다. 웃음은 더 이상 나를 속박하는 도구가 아닌, 내면의 진실을 드러내는 가장 순수한 감정의 표현이 되어야 한다. 억지로 지은 웃음이 나를 보호해주는 듯했지만, 그것은 오히려 내 진정한 자아를 숨기고 가둬버렸다. 나는 그 웃음의 가면을 벗어던지고, 나의 내면에서 우러나오는 진정한 감정을 되찾기로 결심했다.

진정한 웃음은 억지로 만들어질 수 없다. 그것은 나의 마음 깊은 곳에서 자연스럽게 솟아나는, 순수한 감정의 산물이어야 한다. 더 이상 남들의 기대나 상황에 의해 강요된 웃음이 아니라, 나의 내면을 자유롭게 표현할 수 있는 웃음만이 나를 해방시킬 수 있을 것이다.

이제 나는 억지로 지은 웃음의 무게를 내려놓고, 내 안의 진실을 되찾는 길을 걷고 있다. 그 길의 끝에서 나는 진정한 웃음을 되찾을 것이다. 억지로 만들어진 웃음이 아닌, 내면 깊숙이 자리 잡은 평온함과 진실함에서 우러나오는 웃음. 더 이상 나를 감추기 위한 가면이 아닌, 나의 내면을 자유롭게 표현하는 도구로서의 웃음을 찾을 것이다.

웃음은 나를 숨기기 위한 방패가 아니라, 나의 진정한 모습을 드러내는 가장 순수한 감정의 표현임을 이제야 깨달았다.

마치 오랫동안 기다려왔던 봄의 햇살처럼, 따뜻하고 자연스럽게 나를 감싸줄 그날이 다가오리라 믿는다. 진정한 자유와 평온함이 찾아오는 그날, 나는 내 내면의 진정한 웃음과 다시 마주할 것이다.

가족과 사회 속에서의 진정한 웃음

웃음은 내 삶에서 중요한 역할을 해왔지만, 그 무게가 나를 짓누르는 굴레가 되어서는 안 된다는 것을 깨달았다. 억지로 미소 짓는 일은 더 이상 하지 않기로 마음먹었다. 언젠가 엄마 앞에서 느꼈던 책임감의 무게도 내려놓을 수 있는 날이 올 것이다. 그날, 나는 처음으로 내 마음 깊은 곳에서 우러나오는 진정한 웃음을 지을 수 있을 것이다. 그날이 아직 오지 않았지만, 나는 한 걸음씩 그 길을 향해 나아가고 있다.

웃음의 본질을 다시금 되새기며

웃음이란 억지로 만들어내는 것이 아닌, 마음 깊은 곳에서 자연스레 솟아나올 때 그 진정한 가치를 지닌다는 사실을 이제서야 알게 되었다. 그동안 나는 미소를 지으며 나를 숨기고, 진심을 억눌러온 나날들이 많았지만, 이제 더 이상 그 가면 뒤에 숨지 않기로 다짐한다. 이 길은 멀고도 험난할 수 있지만, 그 과정 속에서 나는 진정한 나를 찾아가고 있다. 마음의 무거운 짐을 하나씩 내려놓으며, 나 자신과 마주하는 법을 배우고 있다.

언젠가, 그 진심 어린 웃음이 내 얼굴에 다시금 맺히는 날이 올 것이다. 그 웃음은 더 이상 나를 감추기 위한 도구가 아니라, 내 내면의 평온함과 자유로움을 상징하는 모습으로 내 얼굴에 자연스럽게 자리 잡을 것이다.

죽음 그리고 상담일지 9:1

이은숙

이은숙
멈춰서고, 바라본 그곳에는 '삶을 살아낸 우리'가 있다. 삶 자체에 감동한
다. 삶이 어려울 때 특히 유머러스함과 유쾌함을 잃지 않기를 바란다. 한
동안 "진지하면 놀려주세요."가 알림 글이었다. 죽음에 대한 고민에 '진짜
나'에 대해서, 진실한 삶에 대해서 끊임없이 찾았고, 그래서 지금 여기에
있다. 따뜻한 글을 쓰고, 캘리를 쓰며, 성악을 배우고, 콩 한쪽도 나누는
것을 좋아한다.

email: byitself@naver.com

1년 전쯤, 그를 집단상담에서 만났다. 집단상담이라니, 이런 걸 한다고 뭐가 해결된다고. 친구 준희가 제발 가자고 조르지 않았다면 가지 않았을 것이다. 그는 맞은편에 앉아 있었다. 덥수룩하게 자란 머리카락은 눈을 반쯤 가렸고, 해바라기가 그려져 있는 희끄무레해진 검정 티에 군데군데 낡아서 찢어진 청바지를 입고 있었다. 왼쪽 무릎이 찢어진 청바지 사이로 드러나 있었는데, 상처투성이에 새까맸다. 지금 한겨울인데. 철에 맞지 않은 패션에 나도 모르게 흘깃흘깃 쳐다보게 되었다. 그의 차례가 되었다. 말할 때 드디어 그의 가려진 눈을 볼 수 있었는데, 뭔가 풍기는 분위기와 다르게 맑았다. 찰나로 그의 눈이 덥수룩한 머리카락에 가려지고 자기의 불행함을 쏟아내기 시작했다. 자기의 생각이 자기를 죽이려고 한다는 이야기, 스스로 정신과 보호 병동에 들어가려고 했다는 이야기라든지 자기가 얼마나 많은 책을 봤는지, 대단한 상담사들을 만나봤지만, 소용없다는 그런 이야기를 했던 것 같다.

무엇이 그런 그의 마음을 움직였을까? 자기의 고민을 나누는 그런 자리에서 '나의 불행함'이 약해 보이지 않아야 해서 했던 말 때문이었을까? 내 삶이 언제나 죽음과 맞닿아 있다고 말했던 것 같다. 친동생이 죽으려고 했고, 친구가 죽으려고 했고, 심장이 약해서 나 또한 언제 죽을지 모른다는 이야기 정도? 집단상담이 끝나고 그가 내게 와서 죽음과 가깝다는 이야기가 인상 깊었다며 고민이 있을 때 가끔 전화해도 되냐고 물었다. 내가 무슨 상담사도 아니고, 아니라고 대답하려는데 눈치 없는 준희가 그와 따로 이야기하더니 내 전화번호를 알려줬다고 했다. 그가 먼저 가고 왜 그랬냐는 말에 준희는 내게, 언제 죽을지 모르는데 어린 친구도 한번 만나보면 좋지 않겠냐고 했다. 이런 걸 친구라고, 얘도 정신상태가 영 이상하다니까. 그 후로 그는 내게 자주 전화했다. 몇 달을 통화만 하다가 그가 너무 힘들다고 말했던 날이었던가? 나는 걷고 있었고, 그에게 괜찮으면 하천가 산책로로 나오라고 했다. 그리고는 그와 만나서 몇 시간이고 무작정 걸었던 것 같다. 예언력 있는 준희의 말대로 그 어린 친구와 만나는 것이 내게 무척이나 흥미롭고 새로웠다. 그와 매주 걸으며 전혀 생각하지 못한 부류의 대화를 나눴다. 그렇게나 두려워하던 죽음에 관한 이야기를.

[누나, 중랑천?]
10살 차이가 나는데도, 그는 스스럼없이 나를 누나라고 불렀다.
[민규야, 오늘 7시에 마쳐. 7시30분쯤 가능할 듯?]
나는 회사를 마치고 편의점에 들러서 물을 두 병 사고, 흙길이 시작

되는 지점에서 그를 기다렸다. 민규는 어깨를 축 늘어뜨리고 나타났다. 회색 트레이닝 복에 오래 입어 무릎이 튀어나와 있는 바지를 입고 슬리퍼를 질질 끌고 걸어왔다. 물 한 병을 건네자 민규는 고맙다며 받았다. 선선한 바람이 불었다. 산책로에는 이미 많은 사람들이 걷고 있었다. 하늘을 올려다봐도 아파트 불빛과 가로등 주황 불빛에 가려 별은 거의 보이지도 않았다. 저 멀리 하나의 별만이 희미하게 반짝거리고 있었다. 하천 특유의 비릿한 향이 바람에 실려 왔지만 나쁘지 않았다. '따릉'하며 자전거가 지나갔고, 풀벌레가 찌르르 울었고, 사람들이 이야기를 나누며 지나가는 소리가 뒤섞여 들려왔지만, 전혀 시끄럽지 않았다. 우리는 말없이 산책길을 걷고 또 걸었다.

"누나는 죽고 싶었던 적 없어?"

그가 고요함을 깨고 물었다. 오늘 첫 질문부터 쉽지 않았다. 여러 생각이 났지만 덤덤하게 생각이 이어졌다.

"있지. 왜 없었겠어. 심장이 아플 때는 차라리 죽는 게 낫겠다 싶은데, 죽음보다 사실 그 고통이 더 두려운 것 같아. 고통스러운 상황이 끝나지 않을까 봐. 너는?"

"나는 계속 그런 생각이 일어나. 일단 죽어버리고 싶다는 생각이 들면 감정적으로 엄청나게 마이너한 상태가 되기 때문에 통제가 불가능하다는 착각에 빠져. 오늘은 공장에서 같이 일하는 사람이 나한테 막 화를 냈는데 전후 사정 얘기도 안 듣고 화부터 내는 거야. 하여튼, 이럴 때? 누군가 날 건드리면 그게 도화선이 되어서 부정적인 생각이 미친 듯이 일어나는 거야. 그놈을 향해서 쌍욕부터, 차마 입으로는 담기 힘든 무시무시한 말들을 생각해. 그러다 그놈한테는 찍소리도 못하면서 속으로 욕이나 하는 병신같은 나를 향해서 화살이 결국 돌아오는 거지."

"그래도 넌 네 마음을 좀 객관적으로 잘 관찰하네?"

"누나, 세상에 객관이라는 건 없어. 모두 객관이라고 생각하는 주관이지."

"그래, 책 많이 본 건 알겠는데, 맥락상으로는 네 생각을 잘 관찰한다는 이야기야. 내 여동생은 안 그랬거든."

조금 앞에 걷던 민규는 순간 돌아봤고 의외라는 표정을 지었다.

"오, 한 방 먹었는데, 여동생이면 그 죽으려고 했다는 동생?"

"어. 저기 내려가 볼래?"

걷다가 넓은 하천을 가로지르는 돌다리를 발견했다. 평평하고 네모난 돌이 징검다리처럼 하천 중간에 일자로 놓여, 맞은편으로 가로질러 갈 수 있게 만들어져 있었다. 큰 돌마다 작은 등이 여러 개 박혀 있어서 일자로 반짝반짝 빛이 났다. 가까이 다가가니 그렇게 유유히 흐르는 것 같았던 물살이 제법 빠르게 흐르고 있다는 걸 알게 됐다. 풀과 물과 이끼가 섞인 향이 코를 자극했다. 조심스럽게 하천을 건너다가 유독 가로 길이가 긴 돌멩이를 발견하고 거기에 앉았다. 다른 사람들이 지나가도 방해되지 않게끔 배려해서 만든 공간 같았다. 민규는 잠깐 옆에 서 있다가 이내 가까운 다른 돌멩이 위에 걸터앉았다.

"걔는 감정적으로 너무 불안해서 어떻게든 그 상황을 회피하려고만 했어. 왜 그런 생각이 일어나는지 보려고 하지도 않고 불안하면 무

조건 죽고 싶대. 난 심장 때문에 언제 죽을지 몰라서 솔직히 죽음이라는 말이 너무 무서웠거든. 그래서 그 단어를 꺼내기도 두려운데, 아랑곳하지 않고 죽고 싶다고, 여차하면 죽어버리겠다고 그러대. 걔는 맨날 나를 붙잡고 조금만 힘들면 죽고 싶다고 그랬어. 자기를 제발 그만 좀 괴롭히라고 해도…"

"그건 마음대로 되는 게 아니야. 누나, 내가 이 분야 전문가로서 말하자면, 동생 마음이 좀 이해되거든. 자기가 그러고 싶어서 그러는 게 아니야. 자기 의지와 상관없이 부정적인 생각들이 자기를 공격하는 거야."

민규는 슬리퍼를 벗더니 하천에 발을 담갔다.

"부정적인 생각들이 어떻게 공격한다는 거야?"

"부정적인 생각이 그냥 미친 듯이 일어나. 파도에 파도를 타고, 그 생각에 멱살 잡혀서 끌려다녀. 그게 공격당하는 거지."

민규는 내려오는 하천의 물길을 거스르려는 듯이 발을 차댔다. 물이 팔 언저리에 이리저리 튀었는데 제법 차가웠다. 민규도 차가웠는지 하천에서 발을 빼더니, 헐거워진 바지를 끌어내려 발을 닦아내며 넋두리하듯 말했다.

"누구든 부정적인 생각을 하고 싶겠어? 근데 어떡해? 이렇게 태어난걸? 가족이라고는 아빠, 엄마, 친척 몇 명? 만나봤자 맨날 싸우고, 서로를 헐뜯고, 그것만 보고 자랐어. 다른 친구들은 다 재밌다고 하는 여자, 술? 난 지겹도록 싫었어. 아빠 돌아가시고, 엄마가 술을 먹고 들어와서 토하고 엉망이 된 모습으로 길거리며, 화장실이며 할 것 없이 잠들어 있는 모습을 보면… 엄마 술 끊게 하려고 별의별 짓을 다 해도 소용이 없어. 자식이니까 내가 엄마를 책임져야 하잖아? 아무리 그래도 우리 엄마니까. 애원해도, 화를 내도, 협박을 하고, 물건을 던져도 엄마를 바꿀 수가 없어. 엄마를 버릴 수도 없어. 엄마가 없어져 버리면 내가 좀 살 수 있지 않을까? 그런 생각 자체를 하는 내가 미친놈이니까, 이러지도 저러지도 못하는 상황에 그냥 내가 죽어버리면 다 끝나겠지 하는 생각, 하지만 죽지도 못해."

자연스럽게 나는 동생이 떠올랐다.

"내가 고딩 때 협심증 진단을 받고, 큰 수술까지 했는데 걔는 나한테 맨날 죽는다는 소리를 하는 거야. 낮이고 새벽이고 그냥 걔가 힘들다고 하면 다 들어줬어. 너 말대로 난 언니니까. 혹시나 얘가 잘못되면 안 되잖아. 수십 년이지. 이 병이 날씨가 추워지면 몸이 수축이 되니까 조심해야 하거든. 한겨울이었는데, 아파서 집에 누워있는데 동생이 찾아와서 또 힘들다고 하는 거야. 언니가 아프잖아? 아무리 그래도, 적어도 언니가 아프면, 나라면 안 그러겠다. 그날 너무 화가 나서 제발 그만하라고 소리 질렀는데, 그 뒤로 3년 넘게 내 전화를 안 받아."

"동생도 한 성깔하네. 누나 입장에서도 쉽지는 않았겠다. 혹시, 내가 막 이런 이야기 하면 또 누나 심장 아프고 그런 거 아냐?"

우리가 앉아 있는 돌다리 뒤로 강아지 소리가 들렸다. 옆으로 돌아보니 개를 안고 어느 아주머니가 지나가고 있었다.

"아직은 괜찮아. 솔직히 너랑 이런 이야기를 하게 될 줄은 몰랐어. 동생은 조금만 뭐라고 하면 지나치게 예민하게 구니까 무슨 말을 할 수가 있어야지. 혹시나 또 상처받을까 봐."

"동생도 누나는 늘 이해해 주니까 그랬을 것 같아. 내가 너무 힘들면 다른 사람 힘든 게 잘 안 보여. 완전히 그 생각에 사로잡혀서 다른게 안 보이거든."

"도대체 죽고 싶다는 생각은 왜 계속 일어나는 걸까?"

그녀가 힘들어하던 모습이 떠오르고 왠지 목이 말랐다. 병의 뚜껑을 열어 물을 마셨다.

"그 생각을 수없이 했거든."

"그래서?"

그를 통해서 동생의 마음을 조금은 이해하고 싶었는지도 몰랐다.

"죽고 싶다는 생각이 일어나는 순간을 보니까, 그 생각 자체는 나를 보호하려고 일어나는 거더라고. 내가 감당할 수 없는 사건들을 겪게 하고 싶지 않아서, 죽음이라는 건 끝이라는 의미도 있으니까. 그리고 이 미친 듯이 일어나는 부정적인 생각 자체를 죽이고 싶다는 거지."

"생각을 죽이고 싶다고?"

"죽음이라는 것도 대단히 무거운 주제 같아도 하나의 생각이거든."

"김 교수님, 아주 철학적이시군요."

뭔가 이해하기 어려운 말에 농담을 던져봤지만, 별 호응도 없이 민규는 진지하게 말을 이었다.

"그러니까 미친 듯이 일어나는 부정적인 생각들을 다 끝내고 싶다는 의미라는 거지. 죽음도 하나의 생각일 뿐이고, 죽고 싶다는 생각도 결국 다른 여타의 잡생각들처럼 지나간다는 것도 알아. 그런데 말이야. 이렇게 아는데, 알고 있는데, 사건이 벌어지고, 감정에 휩싸이면 땡- 그냥 미친 듯이 소용돌이 속에 갇혀버려서 나를 객관적으로 볼 수가 없어요. 그 뒤로는 감정이 지배해버리니까, 그럼 나를 또 괴롭히고 방치하고 학대해. 난 아직 자해까지는 가지 않았는데, 언제 극단적으로 향할지 알 수가 없어서….”

민규는 자기 머리카락을 막 헝클어뜨리며 갑자기 자리에서 일어났다.

“누나, 그러니까 이론과 실제가 다르다고. 아는데 마음처럼 안 되는 게 사람을 미치게 하는 거야. 이런 이야기를 하는 것도 고민이 돼. 누군가에게 쓰레기를 주고 싶지 않으니까.”

“너도 참, 그 와중에 다른 사람까지 생각하는구나.”

“그러니까 내가 미치겠다고 했잖아.”

민규는 허탈하게 웃었다. 우리의 진지한 산책은 선선한 가을을 건너 따스한 봄이 되어서도 이어졌다. 준희가 어린 친구를 만나보니 어떠냐며 꼬치꼬치 캐묻길래, ‘그냥 죽음에 대한 이야기를 계속하고 있어.’라고 대답했더니 당혹한 표정을 숨기지 못하고 화제를 돌렸다.

그런데 며칠 전부터 그와 연락이 되지 않았다. 문자를 해도 답이 없고, 전화도 받지 않았다. 무슨 일이 생긴 건가? 생각해보니 1년 가까이 연락했지만 이름, 전화번호 말고는 그에 대해서 아는 것이 아무것도 없었다. 중랑천에서 보자는 문자를 보냈지만, 그는 답하지도, 나타나지도 않았다. 한 달쯤 되었을까? 휴일이라 집에서 쉬고 있는데 민규에게서 아주 이상한 문자가 왔다.

[긴급 아님. 12시까지 죽을 사서 여기로 오길 바람. 참치 야채죽, 전복죽, 누나가 먹을 죽 / 마들로 1139, 103호 선빌라, 붉은 벽돌집]

연락이 안 된 것도 황당한데, 문자 내용이 이상했다. 긴급 아님은 뭐야? 누나가 먹을 죽? 장난 같은 문자에 전화를 당장 걸었지만, 받지 않았다. 11시, 어이없는 죽 세 그릇을 사러 집 근처 죽 전문점으로 향했다. 궁시렁 대면서도 시킨 대로 먹을 죽 고민까지 하면서 죽 세 그릇을 포장했다. 한 손에는 지도를 켠 핸드폰을 들었고, 한 손에는 죽 세 그릇을 담은 봉지가 들려있었다. 지하철에서 내려서 10분을 걸었을까? 손에서 땀이 났고, 죽을 들은 팔이 묵직해져 왔다. 낡은 빌라들이 보였다. 붉은 벽돌집? 이 동네 절반 이상은 붉은 벽돌집이었다. 오른쪽 벽 옆에 '선빌라'라고 적힌 검정 페인트 글씨가 아니었다면 집을 찾지 못할 뻔했다. 103호였으나 1층이 아니라 반지하였다. 계단을 몇 개 내려가니 103호 앞 창문으로 무언가 사람의 형체가 보였다. 벨을 찾지 못해 손을 허공에서 왔다 갔다 하다가 하늘색 현관문을 콩콩 두드렸다.
"민규야. 민규야."
안에서 누군가 나오는 소리가 들렸다. 곧 문이 열렸는데 긴 생머리를 찰랑거리며 하얀 티셔츠에 검은 바지를 입은 낯익은 모습의 여자가 서 있었다. 준희였다.
"구준희? 네가 왜 여기 있어?"

"죽 사 왔어?"

준희는 내 손에 있는 죽과 함께 나를 끌어당겼고 엉겁결에 안으로 들어갔다.

거실이랄 것도 없었다. 주방 겸 거실에 작은 테이블과 의자 4개가 있었지만 협소했다. 바로 옆에 방이 있었는데, 조금은 넓은 방에 민규가 앉아 있는 것이 보였다. 좌식 테이블 앞에 앉아서 기운 없는 표정으로 인사를 했다. 방금 머리를 감았는지 머리카락에 물기가 가득했다. 그가 얼굴을 들어 인사를 하는데 눈이 퀭했고 얼굴이 노랬다.

"누나… 제발, 준희 누나 좀 데리고 가."

"이게 무슨 상황이야? 너는 어떻게 여기 와 있고?"

내가 묻자, 준희는 배시시 웃으며 테이블 위에 죽을 나란히 꺼냈다. 뚜껑을 열면서 말했다.

"아, 그때 민규한테 너 번호 줄 때 조건이, 본인 전화번호 알려주면 정화 너 폰 번호 알려주겠다고 했거든. 그 뒤로 내가 민규한테 전화했지. 아참, 그리고 죽 사 오라고 문자한 건 나야."

"어쩐지, 문자 보낸 자의 정신상태가 꼭 누구처럼 이상하더라니."

"어쩔 수 없었던 게 민규가 밥도 안 먹고, 방에만 처박혀 있고, 근데 네가 죽 사 오면 먹기로 했단 말이야."

준희는 전복죽 뚜껑을 따서 민규 앞에 놓더니 숟가락으로 휘휘 저은 후, 퍼서 그의 손에 쥐어 줬다. 내가 어이없는 표정으로 준희를 보는데, 민규가 한숨을 푹 내쉬며 말했다.

"아니, 준희 누나가 전복죽을 해주겠다고 해놓고, 전복이 어떻게 생긴 거냐고 묻고, 전복죽에 전복만 들어가냐고 묻고, 귀찮아서 돌려보냈는데, 또 오늘 찾아와서 전복 사 왔는데 죽은 어떻게 끓이느냐고 묻… 됐어, 먹을 테니까 제발 전복이랑 이 누나 좀 데리고 가."

준희는 아랑곳하지 않고 참치 야채죽을 꺼내서 호호 불며 먹기 시작했다.

"네가 참치 야채죽 끓여달라고 했으면 내가 바로 해줬을 텐데. 전복죽을 해야 하니까 어렵잖아."

"내가 언제 전복죽 끓여달라고 그랬어?"

민규가 버럭 소리를 질렀다.

"어? 아니야? 우리 엄마가 그랬는데, 남자들은 전복죽 좋아한다고."

준희가 눈을 똥그랗게 뜨면서 말하자 민규는 고개를 하늘로 들었다가 눈을 감으며 이를 악물었다. 나는 민규의 손에 들린 숟가락을 그의 입으로 가져다줬다.

"민규야, 어서 먹어. 준희 쟤 돌아이야. 이거 빨리 먹어야 끝난다. 내가 쟤 데리고 갈 테니까 일단 먹어."

준희는 여유롭게 참치 야채죽을 먹으면서 민규가 다 먹을 때까지 그를 알뜰히 살폈다. 민규가 죽을 다 먹자, 차를 마셔야 한다며 책상 옆에 있는 냉장고에서 맥주와 콜라를 꺼냈다. 아주 환한 미소로 그에게 콜라 캔을 따주며 말했다.

"우리 미니~규, 우리 할머니가 콜라는 소화제래."

민규가 포기한 듯 고개를 절레절레 흔들면서 콜라를 마셨다. 캑캑, 그는 곧 사레가 들렸다. 준희가 민규의 등을 두드리자, 준희의 손을 뿌리치며 화급히 화장실로 뛰어갔다.

"어휴, 저래 약해서야. 넌 언제 머리를 단발로 쳤어?"

"어제. 그건 됐고, 뭐야? 어떻게 된 거야?"

내 질문에 준희는 천진난만한 표정으로 양손을 깍지 껴 턱을 괴더니 말했다.

"그때 받은 민규 번호로 전화해서 나는 내 고민을 들어달라고 했지. 너한테 고민을 이야기하면 그 정도는 해줘야 한다고 말하면서, 뭐 일종의 상담 품앗이랄까? 나는 민규에게 고민을 이야기하고, 너는 민규 고민을 들어주고, 또 나는 너의 고민을 들어주고. 아주 완벽해."

내가 헛웃음을 켜자, 준희는 맥주를 따서 건넸다.

"마셔. 근데 요 며칠 연락이 안 되는 거야. 아니! 이럼 공정한 품앗이가 아니지!"

"민규 집은 어떻게 알고?"

"내가 전에 민규한테 상담 고맙다고 선물을 보낸 적이 있거든. 며칠 연락이 안 되어서 무작정 찾아왔는데, 밥도 안 먹고, 홀아비 냄새 풀풀 풍기면서 방에 처박혀서 저러고 있더라고. 그래서 내가 민규 마음을 좀 풀어주려고 나섰는데, 보다시피 우리 미니 규는 내 상담 선생님이라서 학생인 나를 무시하시니, 내가 어쩔 수 없이 너한테 연락한 거징. 내가 몇 년이고 묵혀뒀다가 너한테 완전 서프라이즈 하려고 했는데!"

"아이고."

"왜? 넌 고딩 때부터도 다른 친구들이 너한테 고민 상담 많이 했잖아. 다들 너에게 위로 받았다고 했으니까. 지금 민규에게는 네가 필요해."

준희는 맥주를 홀짝대며 말했다. 준희의 눈은 웃고 있었지만 무언가 서글픔 같은 것이 잠시 스쳐 지나갔다. 하지만 준희는 이내 아무렇지도 않은 듯 내 손에 반듯하게 접힌 종이를 고이 쥐여주며 자신의 상담일지라고 말했다. 그녀는 옆에 있는 베이지색 에코백을 들었다.

"어디가?"

"밥은 먹였고, 내가 없어야 상담하지, 우리 선생님을 부탁해."

그녀는 나를 꼭 안아주더니 현관문을 열고 빠르게 가버렸다. 그녀가 준 종이를 펼쳤는데 '9:1 ? 김민규 상당히 난해함, 이해하기 어려움'이라고 연필로 휘갈겨 쓴 흔적이 남아 있었다.

거실 테이블 위에 준희의 상담일지를 내려놓고, 안방에 있던 죽 그릇을 싱크대에 가져가 헹궜다. 싱크대는 낡았고, 군데군데 물때가 끼여서 뿌옇게 흐려져 있었다. 수세미도 낡아서 희미한 색만 남아 있었다. 죽 그릇을 씻어내고 주변에 물을 뿌려 수세미로 박박 문질렀다. 너무 오래 때가 끼어있어서인지 물때가 잘 씻기지 않았다. 민규는 화장실에서 한참 있다 나와서는 멋쩍어했다. 이내 안방에 들어갔다가 나왔는데 손에는 콜라 캔 3개가 들려져 있었다.

"준희 누나는? 누나 싱크대까지 안 닦아도 돼."

"그래. 다했어. 준희는 자기 선생님을 나에게 간곡히 부탁하시고 떠나셨어요. 도대체 준희가 언제부터 너한테 연락한 거야?"

나는 고무장갑을 벗어서 가지런히 싱크대에 걸쳐놓고 거실 의자에 앉았다. 콜라 대신 테이블 위에 있는 생수를 마셔도 되냐고 물어보고 물을 마셨다.

"내가 누나한테 연락한 이후이긴 한데 거의 바로? 절대 정화 누나한테는 말하지 말라고 해서 말 못 했어. 꼭 나중에 서프라이즈 해야 한다고."

"걘 진짜 특이해. 어쩜 그런 생각 자체를 할 수가 있지?"

내가 웃자, 민규도 따라 희미하게나마 웃었다.

"준희 누나가 나한테 고민을 들어달라고 하면서 고민이 없는 게 고민이래. 자기는 정화 누나나 나처럼 영혼이 깊지 않다나 뭐라나? 소설을 쓰고 싶은데, 자기처럼 어려움도 없이 자란 사람은 나처럼 아픈 사람들을 공감하기 어렵다고. 대놓고 나보고 아픈 사람이라고 말하는데, 기분이 안 나쁜 거야."

"그게 구준희의 매력이지. 예측 불가, 엉뚱한데 뭔가 대책 없이 순수해. 그건 그렇고,"

조심스럽게 그에게 물었다.

"엄마한테 무슨 일이 있는 거야?"

민규는 떠올리기 싫은 기억을 떠올리는 듯 머리를 쥐어뜯으며 한숨을 쉬었다.

"누나 나 요즘 마이너해. 괜히 누나한테까지 불편한 쓰레기를 토해내고 싶지 않아서 연락 안 한 거였어."

"그러기에는 이미 많은 걸 나한테 이야기하지 않았냐?"

민규는 작게 '하긴 그랬지.'라고 말하며 고개를 푹 숙였다. 희미하게 목소리가 새어 나왔다.

"맨날 똑같은 것에 걸려 넘어져. 아는데, 또 당해. 엄마가 술을 먹고 넘어져서 얼굴이 다 긁히고, 엉망이 됐어. 팔도 부러지고, 한 며칠 병원에 계시다가 퇴원했는데, 내가 잠깐 집에 다녀온 사이에 그놈의 술을 먹고 있더라고. 눈이 확 뒤집어지겠어? 안 뒤집어지겠어? 엄마한테 미친 듯이 화를 내고 나왔어."

"…."

그의 깊은 한숨이 꼭 어둠을 토해내는 것만 같이 느껴졌다.

"엄마가 다친 것도 속이 터져 나갈 것 같아. 가게 파손해서 돈 물어줘야 하는 거며, 가게 주인아줌마는 엄마 때문에 다쳤다고 쌩 떼를 쓰지. 또 겨우 모아놓은 돈 몇 푼마저 엄마 뒤치다꺼리에 다 들어가잖아. 그 와중에 돈 계산하고 있는 내가 싫어. 엄마를 미워하면, 그렇게 엄마를 미워하는 내가 너무 싫어. 난 안돼, 아무리 해도 안돼. 사람이 언제 가장 절망스러운 줄 알아? 이 거지 같은 상황이 영원히 반복될 거라는 생각이 들 때야."

그는 얼굴이 벌겋게 상기된 채 허겁지겁 말을 쏟아냈다. 그의 속에서부터 올라오는 화기가 고스란히 느껴졌다. 나는 잠자코 그의 이야기를 듣고 있었는데 자꾸만 민규와 여동생이 겹쳐서 보이는 것만 같았다. 민규는 다 마신 콜라 캔을 구기고 또 구겼다. 구겨진 콜라 캔으로 준희가 준 상담일지 종이에 구멍을 내기 시작했다.

"그건 준희가 상담일지라고 아까 나한테 주고 간 거야."

종이를 뺏으며 말했다.

"아? 본인이 내담자가 어렵다고 포기한 상담?"

"9:1은 뭐야?"

"몰라. 어디서 상담할 때 들었다고 하면서 생각을 10개라고 했을 때 몇 개가 자기를 살리는 생각이고, 몇 개가 죽이는 생각이냐고 그랬어."

"그래서?"

"9가 날 죽이는 생각이고, 그나마도 하나 정도가 나를 살리는 생각이다, 그랬더니 준희 누나가 눈을 이리저리 굴리면서 아무 말도 못하더라고. 준희 누나는 9가 자기를 살리는 생각이고, 1이 죽이는 것까지는 아니고, 혼내는 생각이래. 그래서 누나한테 너무 애쓰지 말라고 그랬더니 어색하게 웃더라."

그는 자라면서 도대체 어떤 시간을 보내온 걸까? 열 중에 아홉이 그를 죽이는 생각이라니. '9:1? 김민규 상당히 난해함, 이해하기 어려움' 그제야 그녀가 적어놓은 메모가 무슨 뜻인지 이해가 되었다. 별 어려움 없이 자란 준희로서는 민규의 마음을 이해하기 어려울 수 있겠다고 생각했다.

그의 말대로 그날의 민규는 여느 날과 좀 다르긴 달랐다. 자기를 돌아보며 죽음에 대해, 생각에 대해 성찰 어린 말을 해주던 그의 모습을 찾아볼 수 없었다. 부정적인 생각에 사로잡혀서 계속 자기의 삶을 한

탄했다. 이것이 바로 그가 말한 감정이 지배하는 순간 같았다. 엄마가 술병을 깨서 자기에게 달려들어서 오른쪽 손바닥이 찢어져서 흉터가 졌다는 것이나, 엄마가 진 빚 때문에 공부를 포기하고 바로 공장으로 취업했다는 것도 알게 되었다. 끊임없이 이어지는 우울한 이야기에 나는 내 삶의 우울한 부분을 다 끌어내어 그에게 말하기 시작했다. 말하다 보니 이입이 되어서 잊고 있었던, 동생이 죽으려고 했던 괴로운 사건까지 세세하게 이야기하게 되었다. 어느 부분에서는 실제보다 과장되게 말하기도 했지만, 그에게 위로가 되기를 진심으로 바랐다.

도로가 보이는 창문 사이로 태양이 기울었고, 황금빛 색으로 물들었다가 점점 짙게 어두워지고 있었다. 시계가 7시 46분을 가리키고 있었다. 벌써 시간이 이렇게 흘렀나? 12시부터 여기 왔는데, 거의 8시간이나 민규와 이야기를 한 것이다. 그가 나의 불우한 이야기에 전우애가 느껴진다고 했다. 그는 구겨진 콜라 캔 사이로 준희의 상담일지를 욱여넣으려고 했다. 9:1, 아홉이 그를 죽이는 생각이고, 하나가 그를 살리는 생각이라 그랬지. 그 종이를 보다가 문득 하나의 생각이 떠올랐다.

"근데, 넌 살아있잖아?"
"?"
민규는 구겨진 콜라 캔에서 시선을 떼고 고개를 들었다.
"아까 9가 널 죽이는 생각이고, 1이 널 살리는 생각이라고 했지?"

"그래서?"

"네가 지금 살아 있다는 건 대단한 9보다 작은 1이 더 강하다는 이야기잖아."

나는 민규의 손을 덥석 잡고 흔들었다.

"민규야! 넌 지금 살아 있어. 널 죽일 듯이 괴롭히는 생각보다 넌 더 강하다고. 약한 게 아니야. 강하니까 살아있는 거라고!"

"누나, 진정해. 그리고 제발 손은 좀 놓고 이야기해."

"미안, 무슨 말인지 알겠지?"

민규가 어이없다는 표정으로 나를 쳐다봤다.

"그게 뭐라고? 그냥 살아진 거지."

"살아낸 거야. 넌 지금 누나한테 어마어마한 코칭을 받은 건데! 아, 구준희가 있어야 하는데, 9:1을 풀었다고!"

"방금 꼭 준희 누나 같아서 소름 돋았어."

민규는 고개를 좌우로 흔들었고 나는 그의 반응을 무시한 채 말했다.

"죽는 것보다 살아내는 게 대단한 거야. 엄마 때문에 힘들다고 해도 너만 살겠다고 엄마를 포기하지 않았잖아. 맨날 죽고 싶다는 생각에 미친 듯이 시달려도 너 스스로를 포기하지도 않았어. 그게 강한 거라고."

민규는 아무런 말이 없었다. 그러고는 일어나 주변에 있던 콜라 캔과 종이며 물기를 뺀다고 엎어놓았던 죽그릇을 분리해서 봉지에 버렸다. 내가 방금 한 말이 그를 불편하게 만들었을까? 하지만 생각을 말하지는 않았다. 민규는 내일 출근도 해야 하는데 하며 지하철역까지 데려다주겠다고 말했다. 지하철역 앞에서 밥 잘 챙겨 먹으라는 내 말에 그는 멋쩍은 듯 머리를 긁으며 말했다.

"누나, 아까 누나가 해 준 말들, 솔직히 너무 고마운 이야기이지만 별로 와 닿지는 않았어. 그것보다 누나가 뭔가 나를 위하는 마음이 느껴져서, 고마웠어."

그래. 그거면 됐지. 민규의 얼굴이 조금은 밝아 보여서 다행이라고 생각했다.

지하철을 타고 집으로 돌아왔다. 비밀번호를 누르고 현관문을 열었다. 어두컴컴한 거실에 불을 켜는 순간, 쿵-하는 소리와 함께 나는 바닥에 무릎을 꿇었다. 숨이 잘 안 쉬어졌다. 심장이 냉동실에 처박힌 것처럼 얼어붙은 느낌이 들었다. 심장을 움켜쥐고 최대한 웅크릴 수밖에 없었다. 간신히 쉬는 숨마저도 고통스러운 헐떡임으로 가로막히는 느낌이었다. 응급실에 간다고 뾰족한 수가 없다는 걸 알았지만 119 생각만이 간절했다. 하지만 또 119를 부르고, 대원들이 오고, 응급차에 실려 가는 상황이 연상되며 가기 싫다는 생각이 들었다. 겨우 닿은 가방에서 스프레이를 찾았고 가슴에 스프레이를 뿌리고 웅크린 채 고통이 지나가기를 기다렸다. 잠시 후 통증은 한여름의 태풍처럼 나를 훑고 지나갔다.

다음날 휴가를 냈고, 그다음날도, 3일 연속 휴가를 냈다. 그때는 팬

찮았는데 그의 부정적인 이야기가 마음에 무리가 되었던 것일까? 아니면 그를 위로하기 위해 했던 나의 우울한 과거 이야기 때문이었을까? 사실, 나는 모든 스트레스 받는 상황을 조심해야 했다. 고딩 때, 처음에는 가슴 주변에 저릿한 느낌의 긴장감이 있었다. 대수롭지 않게 넘겼다. 그런데 저릿한 느낌은 점점 심해져서 심장을 누군가가 양손으로 레몬을 짜듯 쥐어짜는 것만 같았다. 종합검진을 받았지만, 아무런 이상이 없다고 했고, 스트레스성일 수 있다는 모호한 답변만 들었다. 얼마 뒤 큰 병원을 갔을 때 협심증이라고 했다. 어린 나이에 그런 병에 걸릴 줄 몰랐다. 결국 혈관을 강제로 확장하는 수술을 받았다. 그렇게 서른여섯이 되도록 언제 툭 하고 깨질지 모르는 유리 심장과 함께 살았다. 생활하다가 심장이 조여오면 응급실에 실려 갔다. 아니, 내가 직접 응급차를 불러서 응급실로 갔다. 하도 119를 많이 불러서 구급대원들과 얼굴을 알 정도였다.

준희에게는 아픈 것을 말하지 않으려고 했다. 그런데 전화로 그날 어땠냐고 꼬치꼬치 묻는 바람에 대답하다가 이상해진 목소리를 들켰다. 그녀가 바로 집으로 달려와 주었다. 엉뚱하긴 해도 따뜻한 에너지를 받고 싶어서 그녀가 오기를 바랐는지도 몰랐다. 그녀는 3일 내내, 저녁마다 죽을 해서 가져왔다. 준희가 도시락 가방에서 전복죽을 꺼냈다. 또 전복죽이냐는 말에 자기네 할머니의 원기 회복제라고 말하며 김이 모락모락 올라오는 전복죽에 김치를 얹어줬다. 선명하던 전복죽이 흐려지며 눈물이 고였다.

"미안하다. 괜히 너를 민규 집에 불러서, 이 사달을 내고."

"아니야. 그런 거."

"그날 8시간이나 있었다며 너무 무리한 거 아냐?"

"그땐 몰랐는데, 좀 힘들었나 봐. 지금은 덕분에 괜찮아. 내일은 회사 갈 수 있을 것 같아."

그녀는 동치미 국물까지 내게 내밀다가 의문스럽다는 듯이 말했다.

"심장이 아픈데 왜 죽을 먹을까? 넌 위가 아픈 게 아니잖아."

"전 그저 가져오신 대로 먹는 건데요?"

"이런 이런, 치밀한 내가 그 생각을 못하다니, 있어봐. 내가 지금 당장 밥을."

"됐어. 어머니가 해주신 거 맛있어."

"그래? 솔직히 말하면 우리 엄마는 요리 못해. 집에 일 봐주시는 아줌마가 해주신 거야."

"어. 알고 있어. 준희야, 알겠지만 내가 너보다는 좀 치밀하잖아?"

준희는 "그건, 그래." 하며 웃었다.

그날 뒤로 그는 기운을 차린 것 같았다. 다시 일을 구했고, 연락도 예전처럼 하게 되었다. 하지만 여전히 민규의 어머니는 또 술을 드셨고, 그럴 때마다 민규는 무너졌다. 점점 그는 더 자주 전화하기 시작했다. 회사 업무를 보고 있는데도, 새벽에 자는데도 답답하다며 전화가 왔다. 나는 아무 때나 막 전화해서 자기 이야기 들어주는 사람인가? 날 함부로 생각하나? 그래도 그의 이야기를 들었다. 위로하고 위로해도 내일이면 힘들다고 전화가 왔다. 동생이 떠올랐다.

'사람이 언제 가장 절망스러운 줄 알아? 이 거지 같은 상황이 영원히 반복될 거라고 생각이 들 때야.'

그가 한 말이었지만 지금 내 상황이 그렇게 느껴졌다. 회사에서 업무를 처리하고 있는데 진동벨이 울렸다. 또 민규였다. 잠시 고민하다가 휴대폰을 엎어버렸다. 진동이 멈췄다. 솔직히 이젠 그의 어두운 세계를 들여다보고 싶지도 않았다. 죽음을 대하는 그의 태도, 흥미로웠던 대화는 반복되는 진부한 스토리에 묻혔다. 그가 아무리 대단한 말로 포장을 해도 결국 자기가 힘들다는 불평불만이었다. 나도 할 만큼했잖아? 휴대폰을 한참 보다가 책상 서랍에 넣어버렸다.

준희는 민규와 무슨 일 있냐고 물었지만 바빠서 그런다며 대충 둘러댔다. 준희는 중요한 일이 있으니 목요일쯤 만나자고 했다. 준희가 집 근처로 오겠다고 했다. 허름하지만 정겨운 맥줏집으로 갔다. 맥줏집 문을 열고 들어서자 어두운 파란색 조명과 익숙한 90년대 음악이 흘러나왔다. 낡은 나무 냄새가 생맥주 특유의 향, 안주 냄새가 합쳐져 오묘한 향이 느껴졌다. 제법 시끌시끌했다. 테이블은 여섯 개 정도였고, 세 군데에는 아저씨나 할아버지들이 술을 들고 계셨다. 화장실 바로 앞 네모난 테이블에 이미 얼굴이 벌겋게 달아오른 준희가 손을 흔들며 인사했다. 준희에게 반갑게 인사를 하는데, 맞은편에 앉은 어두운 기운의 그를 발견했다. 민규였다. 민규는 힐끗 나를 쳐다보고는 고개를 까닥했다. 둘은 벌써 맥주를 마셨는지 500cc 잔에 1/3만 남아 있었고 말라빠진 한치가 접시에 남아 있었다. 준희 옆 나무 테이블에 앉았다. 동그란 쿠션이 깔려있긴 했지만 지금 분위기만큼이나 딱딱했다.

"내가 민규 불렀어. 괜찮지?"

준희가 내 팔짱을 끼며 말했다. 쌉싸름한 맥주 냄새가 났다. 그동안 민규를 피했는데, 이렇게 정답게 마주 보고 있으려니 어떻게 해야 할지 막막하기만 했다.

"정화 누나, 많이 바쁘다며?"

"으응."

그의 목소리에서 쇳소리가 났다. 뭔가 또 힘든 일이 있었을까, 나도 모르게 심장 주변이 살짝 긴장되었다. 차분히 깊게 숨을 들이셨다가 내뱉었다.

"왜? 또 거기가 좀 그래?"

준희가 내 심장에 귀를 가져다 대면서 말했다.

"구준희, 그만, 너무 빨리 걸어와서 숨이 좀 가빴나 봐."

준희가 "놀래라."라고 말하며 자기의 양쪽 볼을 손등으로 감쌌다. 열기가 오르는 모양이었다.

"사장님, 여기 사이다 하나 주세요. 너, 한참 기다렸어. 지금 우리는 세 잔 째야. 정화는 사이다 후래삼배를 받..."

"삼배 같은 소리하고 있네."

장난을 치며 맞은편에 앉은 민규의 표정을 살폈다. 이마에 미간이 찌푸려져 있었다. 나도 모르게 한숨이 났다. 하지만 왜 그러는지 물어볼 수가 없었다. 그러면 또 똑같은 레퍼토리를 들어야만 할 테니까. 다행히 주인아저씨가 사이다를 가져왔다. 시원하게 얼린 500cc 잔에 사이다를 가득 따랐다. 하얀 기포가 콰르르하는 시원한 소리와 함께 잔을 따라 올라왔다. 한 모금 마시자 시원한 기운이 목을 타고 심장을 거쳐 위장까지 훑는 느낌이 들었다. 추웠다. 적당한 할 말을 찾지 못해 마른 한치를 괜히 질겅질겅 씹고 있는데, 민규가 생맥주 500cc를 추가로 시켰다. 나는 적당한 할 말을 찾았다.

"벌써 세 잔째라며? 술 먹는 거 싫어하면서."

"우리 미니 규가 속상하대."

준희가 남은 맥주를 마시려고 하자, 민규가 준희의 잔을 거칠게 뺏으며 마셔버렸다.

"누나, 그만 마셔."

나는 민규의 거친 행동이 거슬렸다.

"너야말로 그만 마셔. 말투가 왜 그래? 준희한테."

"안 좋은 일이 있어서 그래."

하- 민규의 이야기에 나도 모르게 한숨이 튀어나왔다. 민규의 눈매가 날카로워졌다.

"누나 왜 자꾸 아까부터 한숨을 쉬고 그래?"

목소리는 차분했지만 차가웠다.

"아니야. 아무것도"

"아무것도 아닌 게 아닌데."

또 시작이란 생각이 들었다. 순식간에 심장이 벌렁거리며 긴장도가 높아졌다. 나도 모르게 목소리가 커졌다.

"야, 제발 그만해. 너 계속 엄마 탓을 하는데, 너무 힘들어. 민규야. 너 새벽에도 전화하고, 너무한 거 아냐?"

맥주를 가져온 주인아저씨가 눈치를 보며 살며시 테이블에 맥주를 내려놓고 조용히 멀어져갔다.

"정화야. 왜 그래?"

준희가 갑자기 싸해진 분위기에 팔을 잡아당겼다.

"하루 이틀도 아니고, 계속 전화해서 엄마 탓만 하잖아. 그래, 맨날 술 드시고, 깨지고, 다치고, 돈 물어 줘야 하고. 맞아. 맞지. 다 엄마의 잘못이지. 근데, 엄마의 잘못이어야만 하잖아? 그래야 네가 이렇게 사는 게 네 잘못이 아닌 게 되니까."

"뭐?"

민규의 목소리가 날카로워졌다.

"맨날 엄마 때문에 힘들다고만 하지 말고 방법을 찾아. 방법을 찾아서 해결해! 엄마를 위한다며? 근데 넌 엄마 마음이 어떤지도 모르잖아. 내가 보기에는 다른 사람들보다 네가 더 엄마를 무시하고 있어. 엄마를 위한다고? 엄마를 위하는 게 아니라 너를 위한 거잖아? 네가 정말 두려워하는 건 다른 사람들이 너한테 손가락질할까 봐 아냐?"

"정화야, 오늘 너 왜 그래? 말이 너무 심해. 민규가 그거 때문에 그런 게 아니라…"

"준희 누나, 됐어. 좀 진작에 솔직하지, 그랬어? 듣기 역겨웠다고, 그랬으면 여기 안 왔을 텐데. 내가 쓰레기 같은 이야기를 해서 누나를 힘들게 만들었네."

"내가 언제 그렇게 말했어? 쓰레기 같다고, 역겨웠다고 말한 적 없어. 늘 그런 식으로 상대방을 나쁜 사람으로 만드는구나?"

"그래. 난 원래 그런 놈이야. 누나야말로 내 얘기 들어준다면서 동생한테 못한 것 죄책감 덜려고 그런 거 아니었어? 동생한테도 이랬겠지? 자기는 다 이해하는 척, 천사처럼 다 들어주는 척하다가 나중에 뒤통수쳤겠지."

우리의 목소리가 점점 커지자, 주변이 조용해졌다. 주인아저씨가 다가왔다.

"저기 손님,"

"둘 다 그만해! 정화 너 그러다 응급실 간다고! 김민규, 그만해!"

준희가 소리쳤고, 이야기가 들리든지 말든지 나의 입을 더 이상 막을 수가 없었다.

"그래, 그랬다. 왜?"

"그만, 그만하…"

쾅!

큰 소리와 함께 준희가 테이블에 부딪히며 바닥에 쓰러졌다. 주인아저씨와 우리는 순간 놀라서 멈췄다. 민규는 잠시 당황하다가 바닥에 기역 자로 고꾸라진 준희를 바르게 뉘었다. 민규가 헉하고 놀랐다. 그녀의 왼쪽 얼굴이 피로 물들어가고 있었다.

"이마야. 이마가 찢어진 것 같아."

내가 이마를 가리키자 다급하게 민규가 손으로 준희의 이마를 막았다. 주변에 사람들이 몰려들었다. 주인아저씨는 하얀 수건을 가져왔고, 상처 주위에 가져다 대서 피가 흐르지 않게 막았다. 수건이 빨갛게 물들고 있었다. 나는 심호흡하며 119에 전화했다. 민규가 준희를 여러 번 불러서 의식을 깨웠는데, 희미하게 반응이 있었다. 잠시 후 119가 도착했고, 구급대원이 입구에서 나를 발견하고, 나를 들것에 누이려고 했다.

"저 아니에요. 저기 저 친구요."

누워있는 준희를 가리키자 나를 알아보던 구급대원은 당혹한 표정을 짓더니 이내 내가 가리킨 곳으로 향했다. 준희에게 간단한 응급조치를 하더니 들것에 실었다. 한 사람만 탈 수 있어서 타려는데 민규가 자신이 가겠다며 응급차에 올라탔다.

한 시간 후에 민규에게서 전화가 왔다. 건조한 목소리로 상황만 간결하게 설명했다. 의식은 돌아왔고, 준희는 영양실조인 상태로 갑자기 술을 너무 많이 마셔서 쓰러진 거라고 했다. 피로 물든 뺨은 아마도 의식 없이 넘어지면서 얼굴이 바닥에 제일 먼저 닿으며 굴곡진 부분이 이마에 닿아서 찢어진 것 같다고 했다. 준희네 부모님이 병원에 오셔서 민규도 집으로 돌아간다고 했다. 다음날 출근 전에 전화했더니 어머니가 받으셨고, 준희를 바꿔주셨다.

"지금 갈게."

"됐어. 오지 마. 엄마, 지금 엄청나게 화나서 접근 금지야."

"괜찮냐?"

"나 이마 꿰매서 지금 엄청 얼얼해."

"이게 무슨 일이야!"

"의식이 순간적으로 없어졌어. 나 필름 끊기는 게 뭔지 이제 알았어. 갑자기 셧다운, 완전히 전원이 나가는 거더라고. 술 먹고 이런 적한 번도 없었거든. 글 써야지. 나도 언젠가 너처럼 한번 쓰러져보고 싶었는데, 너무 좋았어. 119 아저씨들이 날 구해줬다고 하더라고. 깨어나니까 미니규가 날 지켜주고. 아주 특별한 경험이었어."

"지금 그게 할 소리야? 웬 영양실조야?"

"그게 있지…"

준희는 무슨 말을 하려다가 잠시 망설였다.

"지금 엄마 들어왔어. 좀 있다 통화해."

맥줏집 사건 후에 민규에게서 더 이상 전화가 오지 않았다. 그때 오해를 풀고 싶어서 전화했지만, 그는 받지 않았다. 동생하고 패턴이 똑같았다. 내가 너무 심하게 말했지. 그렇게 생각하다가도 해명할 여지조차 주지 않는 민규가 야속했다. 자그마치 1년인데, 그의 마음이 편안해지기를 누구보다 바랐고 정말 별의별 이야기까지 다 했는데, 아예연락을 끊어버리는 건 너무 하지 않은가? 그런데 준희마저 나를 피하는 느낌이 들었다. 왜 영양실조에 걸린 건지, 맥줏집에서 무슨 이야기를 하려고 했던 건지 정확하게 말해주지 않고 빙빙 둘러서 다른 이야기를 했다. 그리고 너무 이상한 건 그녀가 나를 만나려고 하지 않는 것이었다. 어디 해외를 간다, 무슨 일이 바쁘다며 만날 수 없다고 했다. 민규 하나 때문에 가장 친한 친구인 준희마저 멀어진 것 같아서 속상했다. 혹시 준희가 민규랑 무슨 심각한 사이였던 걸까? 잡다한 생각을 하다가 책상 위에 있던 각티슈를 벽에 던져버렸다. 애꿎은 각티슈의 모서리가 팩하고 접히며 바닥에 떨어졌다.

　언제나 곁에서 시답잖은 농담으로 밝게 만들어 주는 그녀가 없었다. '중랑천' 암호로 산책을 함께 해줄 민규도 없었다. 동생에게도, 부모님에게도, 연락할 누구도 없었다. 회사와 집만 오갔다. 민규에게 그렇게 해결책을 찾으라고 큰소리쳤는데, 정작 나는 부정적인 감정에 완전히 휩쓸려버렸다. 혼자라는 생각이 떠오르면 또 감정이 휘몰아쳤다. 그래도 살아보겠다고 회사를 어떻게든 나갔다. 준희를 못 만난지 5개월쯤 되었을 때 다니던 회사를 그만뒀다. 밝게 웃는 준희가 계속 생각났다. 내가 준희 덕분에 고딩 때 버텼구나. 민규와 중랑천을 거닐며 이야기를 나누던 그때도 몹시 그리웠다. 집에 불을 켜지도 않았다. 커튼을 사방 쳐놓고 세상이 밝아지는지, 어두워지는지 모르게 지냈다. 그러면서도 살아보겠다고 밥을 먹는 스스로가 한심하고 불쌍했다. 점점 밥도 먹지 않고 방에 처박혀 있다가 가슴 통증이 찾아왔고, 그렇게 살아보겠다고 또 응급차를 불러서 병원에 갔다. 더 나빠진 상황에 나는 입원을 했다. 고민하고 또 하다가 준희에게 문자를 했다. 병원이라는 말에 준희가 드디어 만나러 와주었다.

"얼굴이 왜 이렇게 비쩍 말랐어?"

병실에 들어선 준희의 눈시울이 붉어졌다. 내 손을 잡은 그녀의 손도 떨렸고, 목소리도 떨렸다.

"이런 줄 몰랐어. 정말."

"괜찮아. 아직 살아있어."

기운이 없었지만, 그녀를 보니 마음이 밝아졌다. 처음에는 반가운 마음에 이야기를 나누느라 인식하지 못했는데 준희가 배를 한 손으로 받치고 있었다. 준희의 배 라인이 둥그렸다. 내가 그녀의 배와 눈을 번갈아 가며 쳐다보자 어색하게 웃었다.

"내가 선물 하나 가져왔어."

"설마?"

"우리 아가 태어나면 서프라이즈로 너한테 선물 주려고 했는데. 그래서 일부러 지금까지 숨긴 건데, 너 병원에 입원하면 어떡해?"

나는 양손으로 얼굴을 가렸다.

"왜? 어디가 또 아파?"

준희가 움직이는 소리가 들렸다. 준희가 내 손을 치우며 이마를 짚고, 눈을 까뒤집어서 확인했다.

"준희야. 그만해. 지금 너무 혼란스러워. 왜 말하지 않았어? 맥줏집 이후로 연락이 안 되어서, 내가 민규한테 뭐라고 한 것 때문인가? 너랑 민규랑 무슨 사이인 건가? 막 그런 생각까지 했단 말이야."

"무슨 소리야! 나 남친 있었잖아. 그리고 이건 내 일생일대 가장 큰 시련인데, 너한테 이야기하면 네가 다 해결해줬을 거 아냐!"

준희는 배를 어루만지며 진지한 표정으로 말했다.

"아이고 준희야, 넌 어째 이 와중에도 장난이니…."

"진심인데. 넌 나한테 그래."

준희는 5개월 전, 그날의 이야기를 들려줬다.

준희는 맥줏집에서 우리에게 임신 사실을 이야기하려고 했었다. 가장 먼저 남자 친구에게 임신 소식을 전하자, 그는 아빠가 되기를 거부했고 도망쳤다. 준희는 조금 불편하고 이상한 감정을 느꼈지만 이내 자기의 삶에도 어려운 일이 생겼노라고 축하해야겠다고 생각했다. 하지만 남자 친구의 외면은 준희가 생각했던 것보다 타격이 컸다. 부모님이 서로 엄청나게 싸우셨고, 할머니가 몸져누우셨다. 자기로 인해 가족이 아파하는 것을 지켜보는 것도, 가슴에 구멍이 난 것 마냥 공허하고 시린 느낌도, 이질적이고 낯설기만 했다. 그날 먼저 만났던 민규는 그 이야기를 듣고 화가 나서 그놈을 찾아가 가만두지 않겠다고 술을 그렇게 마셨다고 했다. 준희는 며칠 밥도 제대로 못 먹은 상태에서 맥주를 마셨고, 술기운에 쓰러졌다. 나는 그런 것도 모르고 민규에게 갑자기 화를 낸 것이었다. 모든 이야기를 듣고 허탈한 감정이 느껴졌다. 하지만 그 와중에도 준희는 여전했다.

"우리 구름이한테 엄마가 자신을 포기하지 않았노라고 글을 쓸 거야. 나에게 인생의 쓴맛을 알려준 구름이가 너무 소중해. 내 아이만큼은 세상의 풍파를 경험하게 해서 더 단단하게 자라게 하겠어."

나는 그녀의 엉뚱함에 또 웃을 수밖에 없었다. 아이를 낳고, 홀로 엄마가 된다는 게 어떤 의미인지 준희는 아는 걸까? 아니, 그런 걸 몰라도 상관없을 그녀였다. 그리고 민규가 생각났다.

"내가 그날 민규한테 너무 심하게 말했네."

"아직도 그 생각하는 거야? 뭐, 그때의 너로서는 최선이었어."

"작가가 다 됐네. 구준희. 그거 글로 남겨. 나 지금 조금 감동 받았으니까."

"그래? 그런데 내가 방금 뭐라고 했지?"

준희는 가방에서 메모지를 꺼내는 시늉을 했다. 오랜만에 준희와의 대화에 심장이 고요해지는 것이 느껴졌다. 가만히 베개에 머리를 기댔다.

"민규는 어때?"

"민규가 우리 구름이 삼촌이 되어준다고 했지."

"그거 말고, 어떻게 지내냐고."

"두 달 전에 군대 갔어. 그리고 절대 배웅은 안 했어. 내가 널 배신하면 안 되니까. 그래도 연락은 했어. 내 상담 선생님이기도 했으니깐."

준희는 그날 후로 자주 병원에 들렀다. 산부인과가 여기 있다는 핑계를 대며 전복죽을 싸 들고 왔다.

"산모님, 그만 오세요. 무거운데,"

"적당한 운동이 산모에게 좋아. 그리고 우리 구름이한테 이모를 잃게 하고 싶지 않아."

"준희야, 나 아직 살아 있어."

준희는 전복죽을 내밀었다.

"준희야, 이 세상에 전복죽밖에 없어? 내가 입덧할 것 같아."

"그래서 가져왔어. 자꾸 엄마가 아줌마한테 전복죽만 하라고 해서. 나 입덧 너무 심해. 나 대신 먹어줘야 해. 엄마가 검사한단 말이야."

"입맛 없어. 좀 있다가 먹을게."

"그럼, 이거라도 받아."

그녀의 손에는 곱게 두 번 접힌 종이가 있었다. 민규가 군대에서 보내온 편지라고 했다. 무슨 편지가 봉투도 없냐고 했더니 갑자기 민규가 나쁘다고 했다. 아무리 그래도 그렇지 봉투비 아끼겠다고 둘에게 같이 편지를 보내는 사람이 어디 있냐고 했다. 자기가 얼마나 알뜰히 챙겼는데, 자기한테는 편지를 한 장만 쓰고, 정화에게 2장 썼다며 심통한 표정을 지었다. 자기가 한 장이 모자라니 봉투만큼은 자기가 소유해야 하지 않겠냐며 이상한 논리를 갖다 붙였다. 큭큭, 구준희 너란 아이는 정말이지. 정말 투박한 흰색 종이에 굵은 가로줄만 그어져 있는 편지지였다. 그의 글씨체는 가지런했다.

'누나, 볼 면목이 없네.

군대 와서 시간이 많으니까, 누나랑 산책했던 게 자주 생각났어.

처음에는 화가 나다가, 창피하다가, 왜 창피할까? 들키고 싶지 않은 것을 들킨 거지. 맞아. 엄마의 잘못이어야지만 내 잘못이 아닌 게 되니까. 엄마를 챙기는데, 정작 내가 엄마를 힘들게 하고 있더라고. 엄마한테 계속 술 마시면 죽는다고 화내고, 소리 지르면서 괴물처럼 대하는 건 나였어. 군대 오기 전에 엄마께 죄송하다고만 말씀드렸는데 조용히 눈물을 흘리시더라.

맥줏집에서 말이야. 나는 또 죽고 싶었어. 그렇게 사람들 많은 데서 내 이야기를 하는 누나가 미친 듯이 미웠어. 준희 누나를 병원에 데려다주고 밖에서 밤을 꼴딱 새웠는데, 참 웃기게도 새벽에 누나가 말한 9:1이 떠오르더라고. 죽어버리려고 했는데, 지금 이렇게 살아있네, 결국.

누나 아프다며? 당장 휴가로 나가야 하나 생각하다가, 누나도 약하지 않지, 생각했어. 누나 심장도 그 1이니까. 지금까지 뛰고 있잖아. 세상에서 가장 강인한 심장이야. 그러니까 다시 볼 때까지 건강하게 있어. 그땐 내가 밥 살게.'

편지를 읽고, 다시 읽었다. 눈가가 조금 촉촉해졌다.

"신정화, 완전 감동한 것 같은데."

눈치 없는 준희가 감동을 깼다.

"준희야, 그럴 때는 모른 척해주는 거야. 작가님이 되실 거라면서 어째 그런 것도 모르냐? 근데 너 혹시? 이 편지 읽은 거 아니지?"

"절대 절대 아니지. 둘의 9:1 비밀 이야기를 내가 어떻게 읽겠어? 그런데, 이건 엄밀히 말하면 내가 해준 이야긴데,"

"너 이리 와."

"누나, 심장은 약하지 않아!"

준희는 굵은 남자 목소리를 흉내 내며 말했다. 내가 침대에서 내려오려고 하자 준희는 오히려 배를 들이밀었다. 나는 그토록 당당한 산모 앞에 괜히 무안해져서 편지를 서랍장에 거칠게 집어넣었다. 그녀는 다시 공포의 전복죽을 꺼냈다. 준희는 조금만 먹으라며 직접 떠먹여 주었다. 방금 전까지만 해도 입맛이 없었는데. 조금만 먹겠다고 하며 그 많은 전복죽을 말끔히 비웠다. 뜨겁고도 밝은 기운이 내 안으로 한가득 들어오는 기분이 들었다.

*

몇 달 뒤, 구름이는 아주 건강하게 태어났다. 나는 같은 회사로 복귀했고, 민규는 군 생활을 잘 해내고 있었고, 준희는 단편소설을 써냈다. 여러 작가가 모여 하나의 작품집 형태로 책을 만든다고 했다. 겨울에 책이 나왔다. 서점에 일부러 들러서 『멈춰서고, 바라본 그곳에는』이라는 책을 샀다. 준희의 글을 찾았다. '죽음 그리고 상담일지 9:1' 거기에는 너무나 익숙한 이야기가 실려 있었다. 삶을 살아낸, 여전히 살아내고 있는 '우리들'의 이야기가.

일곱 계절이 물든 숲

송준희

송준희   책 읽기를 좋아하고 이야기를 나누는 걸 좋아하는 사람
항상 긍정적으로 생각하고 행동하려고 노력한다. 커피를 좋아하고 다른
사람들에게도 좋은 커피를 소개해 주며 이야기하는 것을 좋아한다.

10월 쌀쌀한 가을 날씨 어느 한 남자가 카페에 앉아서 웃으며 눈물을 흘리며 울고 있었다. 이야기는 거슬러 9월 중순 그날도 푸르른 하늘이 펼쳐지고 있었다. 그렇게 하준은 또다시 카페 문을 열고 있다.

"우와! 하늘 엄청 이쁘다!"

하준은 하늘을 보고 기분 좋게 가게로 들어간다. 맑은 종소리가 울리면서 가게 내부가 보인다. 편안한 분위기를 만들어주는 우드 톤의 테이블 3개가 놓여있다. 테이블이 놓인 쪽은 유리창으로 되어 있어서 기분 좋은 햇살도 들어온다. 그리고 바로 앞에서 커피를 내리는 것을 볼 수 있는 바 테이블도 놓여 있다. 그리고 한쪽 벽에는 하준이 좋아하는 책이 있는 책장이 있다. 가게는 동네 주민들에게 편안한 장소이다. 바 테이블에 앉아 가게 하준과 자신의 하루를 이야기하거나 책장에 놓여있는 책을 차와 마시며 여유롭게 읽고 가는 손님들도 많다. 그래서 가게에 오신 분 중에 좋은 책을 발견한다면 종종 빌려 가시는 손님들도 있다. 하준은 흔쾌히 손님들에게 책을 빌려드린다. 그렇게 손님과 이야기하며 천천히 읽고 주셔도 되니 언제든 가게에 들렀다가 이야기하고 가시라고 손님들에게 말한다. 그렇게 하준은 항상 손님들과 하루의 이야기나 책 이야기를 하면서 친해진다. 그렇게 가게를 한번 살펴보고 있을 때 가게 앞에 장 씨 아저씨가 지나가며 말한다.

"윤 사장 오늘도 일하는 거야? 오늘은 가게 쉬는 날이잖아."

"일어나서 창밖에 보니 책 읽기도 좋고 하늘이 너무 맑아서 가게 오픈 하려고 왔어요."

웃으며 하준은 장 씨 아저씨에게 대답하니 장 씨 아저씨가 걱정스러운 얼굴로

"쉬엄쉬엄해야지. 그러다가 몸 망가져~"

그러자 하준은 "걱정해 주셔서 감사합니다~ 들어오셔서 커피 한 잔 드시고 가세요."

"아니야~ 근처 더 둘러보고 조금 있다가 다시 올게." 그렇게 말하고 장 씨 아저씨는 다른 사람들과 인사하며 지나갔다. 장 씨 아저씨는 동네에 유명한 보안관이다. 동네에서는 모르는 사람이 없을 정도로 모든 동네 주민이 다 알고 있으며 아무도 시키지 않았지만, 동네를 돌아다니며 동네 주민들을 도와주면서 지내고 있다. 장 씨 아저씨는 경찰이었지만 3년 전에 퇴직한 후 마땅히 할 게 없어서 동네를 돌아다니면서 주민들을 도와주게 되었는데 그게 지금까지도 이어져서 사람들을 도와주게 됐다. 그렇게 장 씨 아저씨가 가고 난 후 하준은 다시 가게 문을 열 준비를 한다.

민호는 한적한 동네 길을 걸어가고 있다. 항상 같은 하루였지만 그날은 유독 고민이 많은 날이었다. 민호는 오랫동안 음악 작곡을 했다.

고등학생 때 음악을 들어보다가 자신도 음악을 만들어보면 어떨까 하는 생각에서 작곡을 시작하게 되었다. 그렇게 조금씩 작곡하고 친구들에게 들려주었을 때 친구들은 음악이 좋다고 칭찬을 많이 해주었다. 그렇게 들려줄 때마다 좋다고 말해주는 주변 사람들에게 힘을 받아 열심히 작곡하고 작곡가라는 꿈을 꾸게 되었다. 하지만 학교를 졸업하고 6년 정도가 지나고 작곡을 계속해서 했지만, 아직 유튜브에 올렸을 때도 높은 조회수를 기록하지는 못했고 기획사 이곳저곳에 보내봤지만, 아직 아무런 연락도 받지 못했다. 그렇게 고민이 깊어져만 갈 때 친구들에게 이야기해서 풀어보려 했지만, 주변 친구들은 이미 사회에 나가서 다들 정신이 없었다. 전화를 해보니 다들 바쁘다고 다음에 연락한다고 하고 나서 전화를 끊어버렸다. 그런 친구들을 보니 자신이 아직도 작곡하면서 아무것도 못 이룬 게 부끄러워졌다. 그렇게 부끄러워졌을 무렵 이틀 전에 사건이 더욱더 민호를 부끄럽게 만들었다. 이틀 전민호는 어릴 적부터 친한 친구를 만나서 술을 한 잔 마셨다. 그렇게 친구와 술을 마시며 이야기하던 중에 친구가 민호에게 물었다.

"너 아직도 음악 하지? 언제까지 할 거야?"

친구가 민호에게 조금은 한심하다는 듯한 말투로 물어보았다. 그러자 그 말을 들은 민호는 기분이 조금 나빴지만 좋게 이야기했다.

"아직 하고 있는 곡 작업도 있고 오랫동안 했으니까 조금 더 열심히 해봐야지."

"야. 그거 안 되는 거 자꾸 언제까지 붙잡고 있을 거야. 그 정도 했으면 이제 그만둘 때도 된 거 아니야? 나이도 점점 들어가는데 자꾸 언제까지 그러고 있을 거냐고."

민호도 알고 있었다. 점점 시간이 지나면 불안한 마음이 자리 속에 잡고 있다는 느낌을 계속해도 안 되면 어떻게 해야 하지 하는 감정들이 자신의 머릿속에도 계속해서 괴롭히는 걸 알고 있었다. 친구가 건넨 말은 그렇게 민호에게 상처로 돌아왔다. 특히나 친구의 말은 민호에게 더욱더 상처가 되었다. 왜냐하면 친구는 오랫동안 음악을 하는 민호를 응원해 준 친구이기 때문이다. 고등학생 때 처음 음악을 시작하고 친구는 민호의 음악을 처음 들었을 때 너무 좋다고 칭찬을 해준 친구였기 때문이다. 그렇게 친구가 좋다고 말해준 게 민호에게는 큰 기쁨이 돼서 민호가 음악을 제대로 시작하게 되는 계기가 되었기 때문이다. 누군가에게 내가 만든 음악으로 기쁨을 선물해 줄 수 있다는 생각으로 작곡을 시작하게 되었다. 그런데 이제 그 말을 해준 사람이 음악을 그만두라고 말하니까 민호는 상처를 받았다.

"아직은 조금 더 하고 싶어. 정말 조금 더 하다가 안 되면 그만해야지."

"적당히 하고 이제 다른 일 찾아봐. 그러다가 서른 돼서 후회한다? 너무 꿈만 쫓아가지 마. 다 소용없더라."

민호는 계속 생각을 해보았다. 누구는 많다고 하는 20대 중반 누구는 아직 한참 젊다고 말하는 나이 도대체 어떤 생각이 맞는 건지 민호는 판단을 내리지 못한다. 아직 젊다고 응원하는 주변 사람들 아니면 민호의 친구처럼 나이가 더 들어가는데 아직도 꿈만 쫓아갈 거냐고 뭐라고 하는 사람들 민호는 그렇게 꿈을 두고 서서히 상처를 받고 있었다.

그렇게 아무에게도 자신의 고민을 이야기할 수 없이 답답해하면서 계속해서 걷고 있었다. 걷다 보니 한 카페가 보였다. 민호는 걷는 것도 잠시 쉴 겸 카페로 들어갔다.

그렇게 가게를 열고 조금 시간이 지나고 나서 민호가 들어왔다. 맑은 종소리와는 다르게 축 처진 어깨와 고개를 떨구고 터벅터벅 민호가 들어왔다. 가게에 들어가니 온화한 미소를 짓고 있는 남자가 서 있었다.

"안녕하세요~ 카페 숲입니다."

하준은 밝게 인사를 건넸다.

":네… 안녕하세요…"

민호는 인사가 땅에 들어가듯 인사를 했다.

"손님분 기운이 없어 보이세요. 괜찮으신가요?"라며 하준은 물어 봤다.

"아니요… 기운이 없네요…"

계속해서 땅이 꺼지듯이 대답했다. 그러고는 민호는 길게 이어진 바 테이블에 털썩 주저앉았다. 그러다 갑자기 벌떡 일어나서 소리를 질렀다.

"으아아아악! 어떻게 해야 하는 거야!"

민호가 소리쳤다. 하준은 깜짝 놀라며 손님에게 말했다.

"괜찮으세요? 무슨 일 있으신가 보네요."

그러자 민호는 다시 진정하고 하준에게 말했다.

"죄송해요… 놀라셨죠?"

그러자 하준은 당황하지 않고 대답했다.

"아니에요. 괜찮습니다~"

하준은 손님에게 침착하게 대답했다.

"진정이 필요할 때는 무엇을 해야 할까요?"

하준에게 민호가 물었다.

"저희 카페에 캐모마일 차가 있는데 캐모마일 한 잔 드릴까요? 캐모마일이 진정 효과에 좋답니다."

손님에게 하준은 차를 추천하였다.

"네 그러면 캐모마일 차 한 잔 주세요."

민호는 주문한 후에 차가 나오기 전 자리에서 중얼거렸다.

"휴… 진짜 어떻게 해야 하는 거지… 계속해서 한다고 잘 되는 것도 아니고 고집 그만 부리고 다른 걸 해야 하는 건가."

민호는 중얼거리며 혼자 자리에 있었다. 하준은 차를 만들면서 민호가 중얼거리는 게 들렸지만, 무슨 말을 하는지는 정확히 듣지 못했다. 그렇게 차를 다 만들고 손님에게 차를 드렸다.

"캐모마일 차 드릴게요~"

"감사합니다…. 사장님 저는 이제 어떻게 해야 할까요?"

민호는 그렇게 사장님에게 고민을 털어놓기 시작했다.

"네? 혹시 어떤 걸 물어보시는 걸까요?" 하준은 침착하게 대답했다.

"제가 여태 제대로 해본 거라고는 작곡 말고 없거든요. 근데 여태껏 아무것도 이룬 게 없어요. 친구들은 다들 사회에서 바쁘게 지내고 있고 나이는 계속해서 들어가는데 매번 하고 싶다고 자꾸 억지로 붙잡고 있는 것 같기도 하고 이제는 정말 그만둬야 하나 싶기도 해서요."

민호가 고민을 계속해서 털어놓았다.

"그래서 들어오실 때 힘이 없으셨나 보네요. 정말 힘드시겠어요."

하준은 손님에게 짧은 위로를 건넸다.

"저는 정말 꾸준히 노력하면 이루어질 수 있을 거라고 믿었어요. 근데 매번 노력해도 실패하고 또다시 노력해도 실패하고 이러니까 저 자신이 이제 너무 한심해 보여요."

민호는 고개를 푹 떨구고 있었다.

"손님. 제가 손님의 삶을 대신 살아보지는 않았지만 계속해서 목표를 향해서 쫓아가셨다면 이번에는 다른 곳을 보면서 잠깐 쉬어보는 게 어떨까요?"

하준은 민호에게 조심스럽게 말해보았다. 그러자 민호가 천천히 고개를 들고 대답했다.

"매번 목표만 보고 쫓아가긴 했는데 막상 또 다른 곳에 눈을 돌리고 쉬려니까 사실은 쉬는 방법도 잘 모르겠어요…"

하준은 힘없는 민호를 위해 곰곰이 생각했다. 그러자 문득 생각이 났다.

"손님! 제가 가까이 두고 멀리서 찾아보려고 했네요. 혹시 책을 읽어보시는 건 어떠세요?"

"네?"

민호가 의아한 듯이 대답했다.

"저희 가게에 책이 생각보다 많은데 책장에서 한번 골라서 읽어보시겠어요? 장르도 소설, 수필, 시 다양하게 있어서 괜찮으실 거예요."

하준은 말하면서 가게 한쪽의 책장을 가리키면서 민호에게 알려주었다.

하지만 민호가 바로 다시 질문했다.

"책을 읽는 게 정말 도움이 될까요? 어릴 때도 읽지 않고 커서도 책은 잘 안 읽었는데…" 민호는 의기소침하게 이야기했다.

"그럼요. 책의 장르가 다양한 만큼 손님에게 도움 되는 책이 분명히 있을 거예요. 저도 가끔 책 속에서 종종 답을 얻기도 한답니다. 혹시 모르지 않을까요? 저처럼 저 수많은 책 속에서 갑자기 손님이 저에게 질문한 이야기에 답을 줄 수도 있을 거예요."

하준은 민호에게 온화한 미소를 지으면서 말했다.

그러자 민호는 차를 마시면서 곰곰이 생각을 해보더니 하준이 말해준 책장으로 다가갔다. 책장을 보니 그렇게 많지도 적지도 않은 양의 책들이 놓여 있었다. 눈대중으로 볼 때 100권 정도는 되는 것 같았다. 하준이 정리한 건지 책은 장르 별로 잘 정리가 되어 있었다.

"음…. 무슨 책을 읽어봐야 할까…"

하준은 민호의 옆으로 와서 물어봤다.

"혹시 평소에 지나가다 읽고 싶었던 책이나 주제 같은 건 없으세요?"

"잘 모르겠어요. 정말 책을 가까이해본 적이 없어서요."

"그렇다면 이건 어떨까요?"

하준이 민호에게 책을 하나 건네주었다. 그 책의 이름은 정말 단순했다. '숲'

"저희 가게 이름과 똑같은 책이랍니다. 손님이 이걸 보시면 도움이 많이 될 것 같아요." 하준이 건네준 책은 별로 두껍지도 않고 많아 봐야 100페이지 정도 되는 책 같았다.

"무슨 내용의 책인가요, 사장님?"

"그건 손님이 천천히 읽어보시면서 알아가시는 걸 추천해 드릴게요."라며 웃으며 대답했다.

"시간 괜찮으시면 가게에서 충분히 천천히 읽어보셔도 됩니다."

"네. 그러면 읽다가 갈게요."

민호는 다시 자리로 돌아가서 책을 펼쳤다.

민호는 책을 펼치면서 중얼거렸다.

"책을 정말 얼마 만에 읽어보는 건지 모르겠네."

그렇게 민호는 책을 읽기 시작했다. 하준은 책을 읽는 손님을 미소를 띠며 바라보았다. 자신이 추천해 준 책을 읽는 모습을 뿌듯하게 느끼는 것 같았다. 그렇게 카페는 잠시 고요해졌다. 그리고 시간이 얼마 지나지 않아 맑은 종소리가 다시 들렸다. 문으로 장 씨 아저씨가 들어왔다.

"윤 사장 나 왔어~"

그렇게 가게를 들어와서 바 테이블에 앉았다.

"근처 다 둘러보고 오셨나 보네요. 오늘은 별일 없으셨어요?"

말을 건네며 하준은 시원한 커피 한 잔을 장 씨 아저씨에게 건넸다.

"오늘도 별일 없었지. 쉬는 날에 가게 열었는데 그래도 손님이 오셨네?"

장 씨 아저씨가 하준에게 말하며 장 씨 아저씨는 민호를 살짝 보았다. 그러자 하준이 민호에게 장 씨 아저씨를 소개해 주었다.

"손님 여기는 장 씨 아저씨이신데 마을의 유명한 보안관이세요. 저한테도 도움을 많이 주셨어요."

"어? 나 이 청년 지나가면서 자주 본 것 같은데 이 동네에서 살고 있는 거 아닌가?"

"네 맞아요. 안녕하세요…."

민호는 의기소침하게 인사를 건넸다.

"오늘따라 힘이 없어 보이던데 힘내!"

장 씨 아저씨가 민호에게 작은 위로를 건넸다.

"감사합니다."

"요새는 젊은 청년들이 진짜 고생이 많아~ 매일매일 얼마나 힘들겠어~"

장 씨 아저씨는 걱정되듯 민호에게 말했다.

그러다가 문득 하준은 장 씨 아저씨에게 물어봤다.

"장 씨 아저씨는 퇴직하고 나서 쉴 때 어떻게 쉬셨어요? 경찰일 되게 오래 하셨잖아요." 그렇게 하준은 자연스럽게 장 씨 아저씨에게 물어봤다.

"나? 음… 나도 아주 공허하고 뭘 할지 잘 몰랐지. 그렇게 하루하루 지나고 있는데 아내가 말해주더라고 하고 싶은 거 하면서 푹 쉬라고 그동안 고생 많이 했으니까 하고 싶었던 거 전부 다 해보라고 하더라고. 그래서 혼자 생각해 보다가 내가 원래 하던 일처럼 사람들 도와주는 게 좋을 것 같더라고 그래서 이렇게 됐지."

장 씨 아저씨가 자신의 이야기를 하며 호탕하게 웃었다.

"왜? 윤 사장 요새 뭐할지 모르겠어?"

다시 장 씨 아저씨가 하준에게 물었다.

"아니요. 여기 새로 오신 손님분이 고민이 있으신 데 인생 선배로서 장 씨 아저씨의 이야기가 도움이 될까 해서요."

그러자 민호가 장 씨 아저씨에게 물어봤다.

"오랫동안 일하시고 퇴직할 때 무섭지는 않으셨어요…?"

조심스럽게 장 씨 아저씨에게 물어보았다.

"무섭다기보다는 그냥 어쩔 줄 몰랐지. 쉬어본 적이 없었으니까. 근데 주변에서 아내도 그렇고 여기 윤 사장도 그렇고 나한테 도움이 많이 되더라고. 주변 사람들에게 도움을 참 많이 받은 것 같아. 그래서 항상 고맙지~"

그러자 하준이 말했다.

"제가 항상 더 고맙죠. 가게 홍보도 많이 해주시고 여러 사람들도 항상 소개해 주셔서 가게 열고 덕분에 잘하고 있는걸요."

그렇게 이야기를 하다가 장 씨 아저씨가 일어났다.

"이제 다시 가봐야겠어. 저기 미용실에서 물건 옮기는 것 좀 도와달라고 하더라고. 거기 청년 필요한 일 있으면 나한테 와서 항상 부탁해~ 도와줄 수 있는 거라면 바로 도와줄게!"

장 씨 아저씨가 민호에게 말했다.

"네 감사합니다."

"지나가면서 종종 인사하자고~ 둘 다 고생해~"

그렇게 장 씨 아저씨는 인사와 함께 밖으로 나섰다.

"장 씨 아저씨 정말 밝으시죠? 항상 가게에 좋은 에너지를 주고 가셔서 너무 감사해요." 하준이 민호에게 말했다.

"네. 대단하신 것 같아요. 주변 사람들에게도 좋은 에너지를 주고 가시네요."

민호는 그렇게 하준과 이야기하다가 다시 책을 읽었다. 그러자 갑자기 민호의 핸드폰이 울렸다. 민호의 어머니에게 전화가 왔다.

"어. 엄마. 알겠어. 지금 들어갈게."

민호는 그렇게 자리에서 일어났다. 그러자 하준이 민호가 일어나는 것을 보고 말했다.

"이제 가시려나 보네요."

"네. 사장님 책 잘 읽었습니다. 갑자기 고민 이야기했는데 잘 들어주셔서 감사해요."

"책은 아직 다 읽지 못하신 거 아니신가요?"

"네. 아직 반도 못 읽은 것 같아요."

"그러면 책 가져가셔서 천천히 읽고 다시 가게에 들려주세요."

"그래도 되나요? 그러면 저야 감사하긴 한데….."

"당연히 가능하죠! 부담 가지지 마시고 천천히 읽고 가게에 또 한 번 와주세요."

"감사합니다. 사장님 이만 가볼게요."

"네. 조심히 들어가세요~"

그렇게 민호는 책을 들고 가게를 나섰다. 하준은 미소를 지으며 민호를 배웅하고 나서 혼자서 생각했다. 오늘도 카페 문을 열기를 잘했다고 그렇게 좋은 손님을 만나고 이쁜 하늘을 보게 되었다고 생각했다. 그렇게 민호가 가고 나서 해가 점차 저물어 가고 있었다.

"엄마 나 왔어. 무슨 일인데 빨리 오라고 했어?"

"짜잔~! 엄마가 너 주려고 이거 사 왔지~"

민호의 눈에 보인 건 바로 통기타였다. 민호의 엄마는 흐뭇한 미소를 지으며 민호를 바라보고 있었다.

"엄마가 너 기타 망가진 거 알고 하나 사 왔어. 노래 만들어야 하는데 악기는 있어야지~"

"어떻게 알았어? 아르바이트비 들어오면 사려고 일부러 말 안 하고 있었는데."

민호는 순간의 감정이 기쁨과 당황이 섞여 있었다. 얼마 전 민호는 방에서 물건이 떨어져서 기타가 아예 망가져서 못 쓸 정도였다. 그래서 이번 달 아르바이트비가 나오면 기타를 사려고 했는데 갑자기 민호의 엄마가 기타를 사 오셨다.

"안 사줘도 되는데. 엄마 차라리 맛있는 걸 사드시지."

"사실 너희 아빠가 기타 망가진 걸 보더니 주변 사람들한테 물어봐서 열심히 찾더라~ 그래서 사 오라는 거 엄마가 사 온 거야."

민호의 부모님은 민호가 음악을 하고 싶다고 할 때부터 민호를 말리지 않으셨다. 오히려 더 열심히 응원해 주시고 항상 도와주셨다. 민호의 어머니는 항상 우리 아들 노래가 가장 좋다며 들을 때마다 너무 좋다고 주변에 항상 자랑하고 다니셨다. 아버지는 원래 성격 자체가 과묵하신 편이다. 아버지도 항상 민호가 음악을 하는 것을 싫어하신 적은 없다. 민호는 부모님에게 감사했다. 자신의 하는 일을 항상 의심하지 않고 응원을 보내주셨다는 것에 다시 생각해 보니 부모님에게 감사한 마음이었다. 그래서 민호도 더 이상 자신을 의심하지 않고 더욱더 열심히 해야겠다는 생각이 들었다.

"어때? 기타 마음에 들어? 너희 아빠가 아주 열심히 찾아보시던데 엄청 신중하게 고르고 산 거야~"

"너무 마음에 들어. 고마워 엄마. 엄마랑 아빠 덕분에 이번에 만드는 음악 아주 잘 나올 것 같아. 너무너무 고마워."

그렇게 민호는 말하고 나서 갑작스럽게 엄마를 와락 안았다.

"아이고, 아이고, 평소에는 안 그러더니 갑자기 왜 이래~ 기타가 좋긴 한가 봐~"

민호의 엄마도 흐뭇한 미소를 지으며 민호를 안고 머리를 쓰다듬어 주었다.

"엄마는 우리 아들 항상 응원해~ 알지? 엄마는 민호 음악이 가장 좋아~ 뭔가 들을 때마다 포근한 느낌이랄까? 지금처럼?"

그렇게 민호는 엄마에게서 따뜻한 위로를 들었다. 그 순간 도어락 소리가 들리더니 민호의 아빠가 퇴근하고 집으로 들어왔다.

"여보 이거 봐봐요! 당신이 찾아본 기타 내가 사 왔어요."

"음. 괜찮네. 마음에 드냐, 민호야?"

"네. 아빠 너무너무 마음에 들어요. 감사해요."

"크흠. 마음에 들면 됐다. 열심히 해."

민호의 아빠는 내색하지 않으셨지만, 마음에 들어 하는 민호를 보고 기분이 좋아지신 것 같았다. 그 후 민호는 부모님과 이야기하고 나서 방으로 들어갔다. 방으로 들어간 민호의 눈에 보인 건 카페에서 읽었던 책이 눈에 들어왔다. 그래서 민호는 음악 작업을 하기 전에 조금 책을 읽자고 생각이 들었다. 생각보다 하준이 추천해 준 책은 거부감 없이 잘 읽을 수 있었다. 그렇게 책을 조금 읽고 민호는 음악 작업을 하다가 잠에 들었다. 민호는 그 후로 음악 작업을 하면서 천천히 책을 읽어갔다. 시간이 지나서 어느새 10월이 되고 얼마 전까지 더웠던 날씨가 쌀쌀한 가을 날씨가 되었다. 하준은 오늘도 카페 문을 열러 가게에 나왔다.

"가을 날씨도 너무 좋다~ 선선한 바람도 불고 낙엽도 쌓이고 오늘도 책 읽으면서 커피 마시기 딱 좋은 날씨네~"

그렇게 하준은 기분 좋게 가게로 들어가려는 순간 누군가 하준을 불렀다.

"사장님! 안녕하세요!"

"어! 민호 씨 안녕하세요!"

민호는 그 후로 카페에 들러서 사장님과 종종 이야기하고 커피를 마시러 찾아왔다. 그러다 보니 하준과 조금씩 친해졌다.

"민호 씨 기타 들고 오는 건 처음 봐요. 역시 음악 하셔서 잘 어울리

시네요.“

온화한 미소를 지으며 민호에게 건넨 칭찬에 민호는 살짝 부끄러운 듯 대답했다.

"감사합니다. 오늘은 가게 문 조금 늦게 여시네요?“

"네. 날이 좋다고 산책하다가 가게에 조금 늦어버렸네요. 오늘도 커피 드시고 가시나요?"

"네. 날도 좋고 커피도 좋고 이제 책도 다 읽어가서 오늘은 다 읽으려고요.”

둘은 그렇게 서로의 안부를 물어본 후 가게로 함께 들어갔다. 바 테이블에는 못 보던 조그마한 화분 하나가 놓여 있었다. 그래서 민호는 화분을 보고 하준에게 물어봤다.

"사장님 화분이 하나 생겼네요?“

"맞아요. 옆의 상가에 꽃집 사장님이 가게 분위기를 조금 더 밝혀줄 거라고 선물해 주고 가셨어요."

하준은 선물 받은 화분을 소중히 잘 키우고 있었다. 그러더니 하준이 갑자기 민호에게 질문했다.

"민호 씨 혹시 무궁화의 꽃말 아세요?"

민호는 고개를 저으며 대답했다.

"아니요….? 꽃들에 관해서 잘 알지 못해서 잘 모르겠어요."

"무궁화의 꽃말은 끈기라고 하더라고요. 오랫동안 천천히 결실을 보는 꽃에 잘 어울리는 꽃말 같아요.“

"전혀 몰랐는데 의미가 좋은 것 같아요.“

문득 그렇게 꽃에 관해서 대화하다가 하준은 민호에게 말했다.

"아 맞다, 책마저 읽는다고 하셨죠? 오늘도 아이스 아메리카노 드리면 될까요?"

바 테이블에 앉은 민호가 이야기했다.

"오늘은 따뜻한 게 좋을 것 같아요. 따뜻한 아메리카노 한 잔 부탁드립니다."

민호는 테이블에 앉아 책을 읽기 위해서 책을 펼쳤다. 책은 이제 6장 정도 남은 것 같았다. 그렇게 책을 펼치고 나서 얼마 지나지 않아 하준이 다가와서 커피를 주었다.

"따뜻한 아메리카노 한 잔 드릴게요~"

"감사합니다~"

그렇게 커피를 주고 나서 하준은 다시 돌아가서 화분에 집중하기 시작했다. 그렇게 얼마 지나고 나서 민호는 책을 다 읽었다. 사실 책의 내용은 생각보다 그렇게 특별하지 않았다. 숲은 사람들에게 좋은 쉼터가 되어 준다는 것이 주된 내용이었다. 숲에서 나무는 사람들에게 더운 날 그늘이 되어 주기도 하고 비가 오게 되면 비를 피할 수 있는 쉼터가 되기도 한다. 그렇게 나무는 우리에게 도움을 주고 사람들도 나무에 도움을 준다. 태풍이 오면 나무가 쓰러지지 않도록 지지대를 만들어주기도 하면서 나무를 도와준다. 숲속에서는 항상 도움이 오가는 곳이라고 나와 있다. 나무, 새, 동물, 사람들이 서로를 도우면서 지내는 내용의 책이었다. 그걸 보고 민호는 알았다. 자신의 주변에도 자신을 도와주는 사람이 너무 많다는 걸 자신의 꿈이 좌절되는 순간에도 민호의 주변에는 나무처럼 묵묵하게 도와준 사람들이 있다. 항상 옆에서 도와준 부모님, 갑작스러운 고민 이야기에도 들어준 카페 사장님 여러 사람들이 항상 민호를 도와주고 있었다. 그렇게 책을 다 읽고 나서 깨달음을 얻은 순간 카페에는 노래가 흘러나오고 있었다. 그 노래는 민호의 마음을 또다시 위로 해주는 것 같았다.

가끔은 넘어질 거야 오늘은 괜찮을 거야
흐트러진 마음을 쏟아내도 괜찮아
내가 옆에 있을게 넌 말 없이 그냥 울어도 돼
-최유리〈밤 바다〉

민호는 갑자기 노래의 가사가 그동안에 자신에게 건네는 위로 같았다. 순간 눈에서 눈물이 작은 유리구슬처럼 조금씩 떨어졌다. 하지만 민호의 입가에는 미소가 지어져 있었다. 순간 그 모습을 본 하준은 놀라서 민호에게 다가와서 휴지를 건네며 물어봤다.

"민호 씨 괜찮으세요?"

"네. 너무 괜찮아요. 사실 행복해요"

민호는 하준이 건넨 휴지로 눈물을 닦아냈다.

"사장님이 추천해 주신 책, 지금 나오고 있는 노래 전부다 저를 위로 해준 것 같아요. 평소에 이런 적이 없는데 갑자기 이러니까 저도 당황스럽네요. 사장님이 이 책을 왜 저에게 추천해 주신 지 알 것 같아요."

"다행이네요. 저는 이 책이 민호 씨에게 작은 위로가 될 것 같아서 추천해 드렸어요. 주변에 분명 민호 씨를 도와주시고 쉬게 해주시는

분들이 있을 거라고 믿고 드렸어요. 저도 이 책을 읽고 위로를 받았거든요.“

"감사해요. 제 생각에는 아직 포기하기는 이른 것 같아요. 책에 나오는 숲속에 나무들처럼 저도 오랫동안 버텨서 사람들에게 꼭 행복을 주고 싶네요."

"민호 씨라면 꼭 해내실 거예요!"

그렇게 둘을 웃으며 이야기하다가 하준이 문득 민호에게 궁금한 것을 물어봤다.

"아! 민호 씨 이번에 만드신 음악이 다 된 건가요?"

"사실 이번에는 작곡 말고 작사도 해서 제가 부르고 싶어서 작사를 어떻게 할지 고민이에요."

그렇게 노래에 대해서 고민하던 민호에게 하준이 말했다.

"제가 노래에 대해서는 잘 모르지만 그렇다면 이번에는 민호 씨의 이야기를 가사에 조금 간접적으로 넣어보는 게 어떨까요?“

"어떻게요?"

"이번에 겪으신 일을 써보는 거죠. 힘들었지만 위로받았던 이야기를 적어 보면 되지 않을까요?"

"오…. 좋을 것 같아요!“

하준의 이야기를 듣고 민호는 가사를 적기 시작했다. 시간이 30분 정도 지나고 나서 민호는 가사를 적어낸 것 같았다.

"사장님, 혹시 아직 다 적지는 못했는데 적은 부분까지 한번 들어봐 주실 수 있나요?"

"네! 저야 당연히 좋죠~"

그렇게 민호는 가방에서 기타를 꺼내 들었다. 기타를 꺼내든 민호는 집중하기 시작했다.

"크흠, 한번 불러볼게요."

"민호 씨 이거 영상 찍어드릴까요? 지금 가게 분위기랑 잘 맞아서 찍어두면 좋을 것 같아요."

"그러면 한번 찍어주실 수 있나요?"

"네, 찍어드릴게요~"

그렇게 민호는 노래를 부르기 시작했다. 맑은 통기타 소리, 포근한 햇살, 선선한 바람은 민호의 분위기를 만들어주었다. 자신의 이야기를 담은 가사로 천천히 노래를 계속해서 불렀다. 자신의 공허했던 마음과 믿음을 준 사람들을 가사에 잘 녹아내었다. 그렇게 노래가 끝나고 나서 민호는 긴장한 눈빛으로 하준을 쳐다봤다.

"어땠나요….?"

"와…. 너무 좋아요~"

하준은 노래를 듣고 흐뭇한 미소를 지으며 민호를 보고 있었다. 민호가 노래를 부르고 있을 때 가게 문이 열려있어 밖에서도 노래가 들렸는지 지나가던 동네 주민들도 한마디씩 하면서 지나갔다.

"와~! 노래 너무 좋아요!"

갑작스러운 칭찬에 민호는 부끄러웠지만 기분이 좋았다. 마침, 장씨 아저씨도 가게를 지나가고 있었다.

"오~ 노래 잘 부르네~ 음악 하기를 잘했어!"

"감사합니다, 아저씨"

민호는 이제야 정말 자신이 원한 음악을 한 것 같았다. 자신이 만든 음악으로 다른 사람들에게 행복함을 선물해 주는 것을 정말 이뤄낸 것 같아서 너무 기뻤다.

"노래 너무 잘 들어서 이건 서비스로 드릴게요~"

민호 앞에 놓인 건 따뜻한 캐모마일 차 였다. 처음 카페에 왔을 때 마셨던 음료 어쩌면 차 한 잔으로 민호는 삶이 조금 바뀌었을 수도 있을 것 같다고 민호는 생각했다.

"감사해요, 사장님 덕분에 잘 해낸 것 같아요."

"아니에요~ 모두 민호 씨가 해내신 거예요."

하준은 또다시 온화한 미소를 지으며 말했다.

"앞으로 종종 시간 날 때 가게에서 노래 불러주실 수 있나요? 동네 주민분들이 너무 좋아하시네요."

"네! 저야 너무 좋죠. 언제든 와서 노래 불러드릴게요. 정말 감사해요, 사장님 덕분에 행복이 어디 있는지 깨달은 것 같아요."

"저는 그거면 충분해요. 가게에 오셔서 행복함을 느꼈으면 저는 너무 감사하죠~"

그렇게 둘은 서로가 서로에게 다른 방법으로 행복을 선물해 주었다. 민호는 그렇게 카페에서 쉬다가 오랫동안 안 올린 자신의 유튜브에 본인이 노래까지 부른 것을 처음으로 올려보았다. 그렇게 올리고 나서 이틀 정도가 지난 후 생각보다 민호의 노래는 반응이 너무나도 좋았다. 사람들에게 널리 퍼져서 '카페 노래남'으로 알려지기 시작했다. 댓글에는 노래를 들으면 공감이 되고 힐링이 된다는 댓글이 많았다. 민호와 비슷한 상황의 사람들이 노래를 듣고 위로를 받았다는 댓글도 많았다. 민호는 자신이 만들고 부른 노래에 다른 사람들이 행복함을 얻고 있는 것 같아서 너무나도 기뻤다. 처음에 음악을 시작했을 때 자신의 목표에 천천히 잘 다가가고 있는 것 같았다. 부모님도 민호의 소식을 듣고 함께 기뻐해 주셨다. 평소에 잘 내색하지 않았던 민호의 아버지도 웃으면서 함께 축하해주셨다. 민호의 노래 영상이 널리 퍼진 덕분에 카페도 많은 사람들에게 알려지게 됐다. 그래서 민호가 가게에서 노래를 부르는 날이면 하준의 가게로 손님들이 꽤 찾아오신다. 그렇게 민호는 자신이 꿈에 계속해서 다가가고 있었다. 어느새 시간이 흘러서 11월이 왔고 겨울이 점점 다가오고 있었다.

"으…. 벌써 추워지고 있네….”

하준은 추위에 벌벌 떨면서 카페를 오픈하려고 나왔다. 그 순간 오늘 가게에서 노래를 부르기로 한 민호가 가게로 왔다.

"사장님 저 왔어요!"

"어 민호 씨! 안녕하세요~ 날씨 정말 춥네요.”

"네, 벌써 겨울이 오려고 하나 봐요. 그래서 오늘은 겨울에 맞게 새로운 노래 만들어보려고요."

"오 진짜요? 기대하겠습니다~”

"네! 기대해 주세요~“

그리고 나서 민호가 하준에게 질문하였다,.

"아! 사장님 이번에 가게에 새로운 직원 구하시는 건 어떻게 되셨어요?”

"오늘 면접 보러 오신다고 하셨는데 기다려봐야 할 것 같아요."

그렇게 서로 반가운 인사를 하고 가게로 함께 들어갔다. 가게는 조금씩 바뀌고 있었다. 없었던 새로운 화분이 생기고 새로 민호를 위해 노래 부를 자리도 만들어주었다. 하준은 바뀌어 가는 이런 가게가 마음에 들었다. 혼자가 아닌 모두가 함께 만들어 가는 가게 카페 '숲' 서로서로 도와가면서 만드는 카페를 하준은 가게를 한번 쭉 둘러보았다. 앞으로도 좋은 손님들과 함께 가게를 만들어 나가면 좋을 것 같다는 생각이 들어 미소가 지어졌다. 그렇게 가게 문을 열고 나서 손님이 들어왔다. 하준은 돌아서서 반갑게 인사를 건넸다.

"안녕하세요~ 카페 숲입니다~"

"안녕하세요 오늘 새로 직원 면접보기로 한 김하나입니다!"

11034

경이

경이 영상 만드는 일을 하고 있다. 하지만 언제나 마음엔 문장이 가득했다. 영상으로 그려낼 수 없는 텍스트의 세계를 흠모해 왔다. 번아웃을 겪으며 불안과 우울의 시간을 보내다가, 평생 알던 내가 아닌 나를 마주했다. 나의 이야기로 나를 위로해야겠다고 결심했다. 그러면 그것들과 좋은 작별을 할 수 있지 않을까. 지금도 그것들과 이별하는 중이다.

email: eekngee@gmail.com

1.

바닥이 얼마나 깊은지는 내려가 봐야만 알 수 있죠
직접 가보지 않는다면 어떻게 알 수 있을까요?

새파란 바닷속 모습 위로 흰색 글자들이 깜빡이며 나타났다.
"그래서 넌 어디까지 내려가 봤는데?"
불쑥 들어온 질문에 해나가 놀라서 돌아봤다. 예리가 커다란 머그
잔을 호호 불며 서 있었다. 친구를 발견한 해나의 얼굴에 반가운 미소
가 스몄다. 두 사람 앞에 있는 모니터에는 영상 편집 프로그램이 띄워
져 있었다. 해나는 시선을 다시 화면으로 돌려 키보드를 몇 개 눌렀다.
그러자 영상이 다른 장면으로 바뀌며 움직였다. 예리는 호기심 가득한
눈으로 그 모습을 지켜보았다.

해나는 'Hola! DIVE'라는 다이빙 업체의 직원이었다. 관광객들을

상대로 바다에서 스쿠버다이빙을 체험하게 해주는 곳이었다. 원래는 예리와 그녀의 아버지 기준, 이렇게 두 사람이 작게 운영하던 곳이었는데 작년 이맘때 해나가 합류했다.

몇 주 전, 해나의 입사 1년 기념 회식이 있었다. 달랑 세 사람뿐이라 회식이라는 말이 거창하긴 했지만, 그래도 일상적인 저녁 식사와는 분위기가 달랐다. 사장이 기분 좋은 웃음을 벙글거리며 직원 둘을 태우고 소고깃집으로 차를 몰았다. 고소한 기름 냄새와 함께 꽃등심이 불판에 지글거렸다. 벌써 일 년이나 되었다니 시간이 너무 빠르다며 소회를 털어놓는 두 사람과 달리, 정작 회식의 주인공은 별말이 없었다. 그 모습을 가만 지켜보던 기준이 해나에게 질문을 퍼붓기 시작했다. 고향은 어디냐, 가족이 있기는 하냐, 결혼은 했냐, 혹시 범죄를 짓고 도피 생활을 하는 것은 아니냐, 그것도 아니면 기억상실증이라도 걸렸냐, 별의별 소리가 다 나왔다. 해나는 웃기만 할 뿐이었다.

기준이 포기할 기미가 보이지 않자, 예리가 제안을 하나 했다. 궁금한 것을 적어서 사다리 타기를 하자고. 그래서 딱 하나만 대답하자고. 아빠와 딸이 머리를 맞댔다. 둘은 핸드폰을 들고 썼다 지웠다 실랑이했다. 해나가 쳐다보자, 기준이 짓궂은 웃음을 지었다. 예리는 해나에게 1부터 5까지 숫자 중 하나를 선택하라고 했다. 해나는 5를 골랐다. 예리가 숫자 5를 누르고 핸드폰을 테이블에 내려놓았다.

"띠리디리 띠띠~ 띠리디리 띠띠~"

사다리 제작자 둘이서 장난스러운 멜로디를 합창했다.

"원래 직업은?"

부녀가 동시에 기대에 찬 눈빛을 반짝였다. 해나는 소주를 한잔 털어 넣고 답했다.

"피디였어요. 유튜브 영상 같은 거 만드는."

오오, 감탄하며 예리와 기준이 박수를 쳤다. 그런데 어쩌다 다이빙을 하게 되었느냐고 질문이 이어졌다. 해나는 하나만 답하기로 한 것 아니냐며 고개를 저었다. 그때 기준이 무언가 떠오른 듯 테이블을 탁 쳤다.

"그럼 우리도 유튜브 하자!"

그리하여 해나는 지금 컴퓨터 앞에 앉아 있게 된 것이었다. 한사코 거절했지만, 부녀의 고집을 꺾을 수가 없었다.

"어디까지 가 봤냐구."

예리가 다시 물었다.

"글쎄. 가 볼 만큼 가본 것 같은데."

해나의 입에서 의미심장한 대답이 튀어나왔다. 예리는 이때다 싶어서, 두 눈을 이글거리며 해나의 코앞까지 얼굴을 들이밀었다. 풋, 웃음이 터진 해나가 그 얼굴을 밀쳐냈다. 오늘도 퇴짜를 맞은 예리는 포기하고 돌아섰다. 그러다 갑자기 휙 노려 보고는, 마치 추리 만화의 주인공처럼 비장하게 외쳤다.

"비밀의 여인 강해나. 그 미스터리를 밝혀내고야 말겠다!"

해나가 그 모습을 보고 킥킥거렸다. 예리는 아빠를 데리러 간다며 문을 열고 나갔다. 그 뒤로 고요가 문을 닫으며 들어왔다. 조용한 가게 안에 덩그러니 남은 그림자 하나. 그 그림자 위로 표정이 순식간에 메말랐다. 마른 눈동자에 비친 바닷속 영상이 한참이나 가만히 멈춰있었다.

2.

누군가와 어깨를 부딪친다. 돌아본다. 아무도 없다. 바닷가 특유의 짠 내가 훅, 코끝을 파고든다. 주변에는 온통 낯선 얼굴들뿐이다. 물살의 한쪽 끝에 서서 숨을 크게 들이쉰다. 풍덩. 망설임 없이 물속으로 뛰어든다. 팔과 다리는 물살을 가르며 앞으로 나아간다. 얼마나 갔을까. 헤엄을 멈춘다. 물이 머리 위로 차오른다. 고개를 들어 수면을 바라본다. 햇살이 물결에 반짝인다. 바닥에 발이 닿지 않는다는 걸 깨닫는다. 쿵 쿵 쿵. 심장이 내달린다. 입과 코로 물거품이 피어오른다. 사지를 허우적거리며 위로 올라간다. 가까스로 코와 입에 공기가 들어온다. 그러나 그보다 더 많은 물이 들이닥친다. 목구멍이 쓰라리다. 멀리 사람들의 실루엣이 뭉개진다. 출렁이는 파도에 몸이 휩쓸린다. 시야에 하늘과 바다가 섞이며 소용돌이친다. 다시 물속으로 빨려 들어간다.

그 꿈이다. 몇 년 동안 해나를 괴롭히던 악몽. 이제 나타나지 않는 줄 알았는데.

해나가 숨을 헐떡이며 눈을 떴다. 알람이 요란하게 울리고 있었다. 입과 코로 물거품 대신 이산화탄소가 뿜어져 나왔다. 쿵쾅거리는 심장 소리가 알람보다 더 크게 고막을 때렸다. 알람은 주인을 기다리다가 제풀에 지쳐 꺼져버렸다. 몸을 일으키려 했지만, 지구의 중력이 열 배는 강해진 듯 팔다리가 무거웠다. 두 번째 알람이 시작됐다. 미간이 있는 힘껏 구겨졌고 앓는 소리와 한숨이 같이 흘러나왔다.

이 꿈은 왜 다시 나타난 걸까. 해나는 최근의 일들을 떠올려 보았다. 새로울 것 없는 일상이었다. 딱 하나 달라진 게 있다면, 영상을 만들기 시작했다는 것뿐. 그것이 결국 봉인을 풀어버린 걸까.

이 악몽을 처음 꾼 건 3년 전이었다. 그때 해나는 10년 차 피디였고 자기 일을 좋아했다. 문제는 팀장이 갑자기 회사를 관두면서 시작되었다. 해나는 준비 없이 팀장이 되었다. 설상가상 팀원 충원도 되지 않아서, 원래 하던 업무에 더해 팀장 역할까지 일은 두 배가 되었다. 안 그래도 잦았던 새벽 야근은 일상이 되었고, 일주일에 하루도 쉬지 못하는 때도 많았다. 피곤은 인간을 녹슬게 한다. 해나의 몸도 머리도 마음도 전부 부식되고 있었다.

그날도 어김없이 야근이었다. 침대에 누워 시계를 본 게 새벽 3시 18분. 눈을 감자, 시끄러운 목소리들이 머릿속에서 질문을 던지기 시작했다. *아까 너무 예민하게 굴었나? H는 왜 웃었지? 내일 회의에서 또 그러면 어떡하지? P 비위 맞춰주려면 어휴, 역시 J를 섭외해야 했나? 다음 분기 매출 맞추려면 프로젝트 몇 개 더 받아야 할 것 같은데*

감당이 될까? 기획안 수정 하려면 또 …… 질문이 한없이 불어났다. 목덜미가 뻐근해졌다. 화롯불 ASMR을 검색해서 틀었다. 눈을 감으니 그냥 더 시끄러워졌을 뿐이었다. 꼬리에 물음표를 동여맨 화살들이 사방에서 날아들었다. 다시 시계를 봤다. 3시 53분. 눈을 감았다. 더 많은 화살들. 다시 시계를 봤다. 4시 42분. 더, 더, 많은 화살들. 6시 7분. 더, 더, 더, 끊임없는 화살들. 눈을 다시 떴을 때 그녀는 바닷가에 있었다. 그리고 물에 빠졌다.

처음 느껴보는 공포였다. 꿈이라기엔 너무 생생했다. 출근해서도 일에 집중할 수가 없었다. 맹물을 마셔도 짠맛이 느껴졌다. 물의 촉감이 되살아나 피부가 근질거렸다. 울렁거림이 멈추지 않아 결국은 빈속을 억지로 게워 냈다.

그 선명한 불쾌함. 그것이 다시 찾아온 것이다. 거의 1년간 이걸 잊고 살았었다. 그런데 영상 편집을 시작한 지 일주일만에 이렇게 되다니. 익숙한 화면, 익숙한 손놀림, 익숙한 자세 그리고 익숙한 악몽. 자연스러운 흐름이었다. 머리로는 잊어도 몸은 잊지 않는다던가. 해나는 허탈한 웃음을 뱉으며 세 번째로 울리는 알람을 껐다.

"늦어서 미안."

"어디 아파? 안색이 안 좋은데."

해나는 평소답지 않게 지각을 했다. 예리가 걱정하는 눈빛으로 얼굴을 훑었다. 해나는 그 시선을 모른척하며 예약 손님들의 정보를 살폈다. 예리는 더 묻지 않고 따뜻한 캐모마일 차 한잔을 친구 앞에 내려두었다. 차 향기가 퍼지자 해나가 빙그레 웃었다. 그 미소에 예리가 조금 안도하며 다이빙 장비를 챙겼다.

3월이었지만 아직 겨울을 머금은 날씨였다. 해는 따뜻했지만 공기는 설익었고 바람이 조금 불었다. 여자 손님 네 명이 활기찬 목소리로 문을 열며 들어왔다. 이에 질세라 예리가 더 크고 높은 톤으로 응대했다. 해나는 그 뒤에서 작게 인사하며 최대한 밝은 표정을 지어 보였다. 간밤의 꿈이 아직 남아 몸이 축축 늘어졌다. 손님들이 다이빙 수트로 갈아입으러 들어가자, 예리가 조심스레 물었다.

"너 진짜 괜찮아?"

"응 괜찮아. 좀 찌뿌둥해서 그래."

다이빙 포인트로 이동한 뒤, 괜찮겠냐고 예리가 한 번 더 물었다. 괜찮다고, 해나가 다시 답했다. 하지만 이내 사달이 나고야 말았다.

바다로 들어가자, 해나의 몸이 이상하게 반응한 것이다. 공기통도 호흡기도 멀쩡했지만 숨을 제대로 쉴 수 없었다. 그러는 사이 심장은 빠르게 몸속의 산소를 태웠다. 두 눈이 초점을 잃더니 이내 시야가 깜깜해졌다. 꿈이 현실로 살아났다. 익사의 공포가 덮쳤다. 해나는 온몸을 버둥거리며 위로 올라갔다.

그 모습을 발견한 예리가 손님들을 이끌고 물 밖으로 나왔다. 해나는 바닥에 드러누워 헐떡대고 있었다. 예리가 달려들어 해나 몸에 달린 장비들을 벗겨내고 일으켜 앉혔다. 놀란 손님들이 어머, 어떡해, 괜찮으세요, 당황한 말들을 쏟아내며 두 사람을 에워쌌다.

예리는 해나를 부축해 가게로 돌아갔고, 손님들께는 환불해 드리겠다 사과한 뒤 서둘러 그들을 돌려보냈다. 해나는 소파에 기대앉은 채 여전히 조금 가쁜 숨을 쉬고 있었다. 예리가 반쯤 울 것 같은 얼굴로 축 늘어진 친구의 팔다리를 주물러댔다.

"나 괜찮아…"

창백한 얼굴에서 목소리가 갈라지며 삐져나왔다. 바로 그때 해나의 머릿속에 찢어질 듯한 파열음이 울렸다. 얼굴이 찌그러졌다. 주변의 소음들이 투명한 벽에 가로막힌 듯 웅웅거리며 멀어졌다. 그것은 소리라기보다는 어떤 '느낌'이었다. 머리를 관통해 양쪽 고막을 실로 연결하고, 그 실을 머리 꼭대기로 잡아당겨 최대한 팽팽하게 만든 다음, 바이올린처럼 그 실을 활로 켜는, 그런 느낌이라면 설명이 될까. 해나는 눈을 질끈 감고 오른손으로 관자놀이를 눌렀다. 파장은 점점 더 날카로워져 뇌의 깊숙한 곳까지 찔러댔다. 그런데 갑자기 컷. 소리가 끊겼다. 검은 정적 속에서 겨우 눈을 떴다. 예리가 없었다. 다이빙 사무실의 자취도 없었다. 천천히 주위를 둘러보았다. 형태는 흐릿했지만, 분명 아는 곳이었다. 이 벽의 색깔. 이 조명. 이 테이블. 여기는, 해나가 다니던 회사였다.

처음 이명을 겪었던 바로 그날에 와 있었다. 도망간 팀장 대타로 급하게 참석했던, 그 회의실이었다. 꿈인지 기억인지 그것도 아니면 환상인지 분간이 되지 않았다. 그때 누군가가 해나를 불렀다. 그리고 업무 관련 질문을 했다. 해나는 아무것도 답할 수 없었다. 대신 자기도 모르게 죄송하다는 말이 튀어나왔다.

3년 전 그날도 그랬다. 누군가가 묻고 해나는 사과 하고, 누군가가 다시 묻고 해나는 다시 사과 하고의 연속이었다. 무책임한 그 팀장 놈은 문자도 전화도 받지를 않아서 해나를 미치게 했었다. 덕분에 무죄의 죄인은 회의 내내 주눅이 들어 고개도 들지 못했었다. 그렇게 이명이 시작됐다.

하지만 그보다 더 괴로운 것은 따로 있었다. 거인들에게 밟혀 찌그러지는 깡통이 되는 상상. 그 망할 상상이 해나를 지배했다. 반복되고, 반복되고, 또 반복됐다. 정지 버튼도 닫기 버튼도 없는 영상이었다. 해나는 쓸데없이 풍부한 제 상상력을 저주했다. 머리가 폭발할 것만 같았다. 정신을 차려야 했다. 테이블 아래에서 왼손 검지 손톱으로 엄지를 있는 힘껏 쿡 쿡 찔렀다. 나선형 지문 위로 칼집을 내듯 손톱자국이 패이고 또 패였다. 그렇게 첫 회의는 거인과 찌그러진 깡통과 이명으로 가득 찼다. 그리고 그날 이후 회의 시간마다 지옥이 거듭됐다. 익숙해지지도 무뎌지지도 않았다. 게다가 회의 시간이 아닐 때도 증상이 나타나기 시작했다. 결국 회사를 그만둬야 했었다.

그런데 그 회의실로 다시 끌려와 앉아 있다니. 절망이 혈관을 타고 흐르며 그녀를 무력하게 만들었다. 눈앞의 사람들이 점점 선명해졌다. 그들은 곧 거인이 되겠지. 지난 일 년은 전부 꿈이고, 이것이 현실인 것만 같았다. 회의실에 앉아 긴 꿈을 꾼 것일까. 다시 시작된 파열음이 심장을 난도질했다. 그때 또다시 누군가가 해나를 불렀다.

"해나야! 해나야!!"

해나의 몸이 사정없이 흔들리며 번쩍 눈이 뜨였다. 예리가 새하얗게 놀란 얼굴로 해나를 깨웠다. 몽롱한 눈과 놀란 눈이 마주했다. 말을 잃은 두 시선이 숨을 죽인 채 교차했다. 이내 이명이 잦아들었다. 해나는 양손으로 얼굴을 힘껏 쓸어내렸다. 예리가 그런 친구의 손을 꼭 잡았다. 그 힘이 너무 세서 약간 아플 정도였다. 아까 그 회의실이 진짜가 아니라는 확신이 들었다. 안도의 한숨이 쏟아져 나왔다.

예리가 119를 부르겠다고 난리였다. 해나는 그런 친구를 말리며 소파에 누웠다. 어젯밤 소환된 악몽, 물속에서의 호흡 곤란, 되살아난 이명과 쪼그라든 회의실의 기억이 차례차례 밀려들었다. '시간이 모든 것을 해결해 준다'는 문장에서 '시간'은 대체 얼만큼을 의미하는 걸까. 인간의 시계로 헤아릴 수 있는 것은 아닐 거라고, 해나는 생각했다.

예리는 빠르게 사무실을 정리하고 해나를 집으로 옮겼다. 그리고 자고 가겠다며 침대 옆 바닥에 이불을 깔고 누웠다. 해나는 더 말릴 수 없어서 그러라고 했다. 예리는 하루 종일 이상했던 친구에게 묻고 싶은 게 산더미였다. 그러나 지금은 좋은 때가 아닌 것 같았다. 그저 '잘 자' 짧은 인사를 건네고 눈을 감았다. 해나는 먼저 잠든 예리를 한참이나 바라보다가 늦게서야 잠이 들었다.

3.

다음 날 해나는 휴가를 냈다. 주말이라 예약 손님이 꽤 있었지만, 도저히 자신이 없었다. 가게에 폐를 끼치게 되어 미안한 마음이 컸지만 어쩔 수 없었다. 이틀 내내 잠만 잤다. 영상 편집도 하지 않았다. 편집을 하지 않으니, 이명도 악몽도 물러난 듯했다. 역시 그것이 트리거였을까.

해나는 편집이 재미있어서 피디가 된 케이스였다. 좋아하는 만큼 잘하기도 했다. 그래서 일을 그만두어야 하는 상황이 너무 싫었다. 그런 식으로 커리어를 포기하고 싶지 않았다. 그래서 사장님과 예리가 유튜브를 하자고 했을 때, 거절하면서도 사실은 약간 설레었다. 일을 쉰 지 꽤 되었으니 괜찮지 않을까 낙관했다. 하지만 설렘은 고통으로 돌아왔다. 가장 좋아했던 일이 가장 두려운 일이 되어버렸다는 걸 인정해야 했다.

그리고 돌아온 월요일은 정기 휴무일이었다. 해나는 집에 박혀 영화를 볼 생각이었다. 심란한 생각들을 떨쳐내는 데에는 그만한 게 없었다. 어떤 영화를 볼까 리모컨을 돌리고 있을 때 초인종이 울렸다.

"짬뽕 먹으러 가자!"

인터폰에서 예리 목소리가 터져 나왔다.

"간 김에 드라이브도 하고!"

카랑카랑한 목소리가 해나 마음속의 먹구름을 몰아냈다. 배가 고프던 참이기도 했고, 영화는 먹고 와서 보면 되지 싶었다.

식당은 차로 30분 정도 걸리는 곳에 있었다. 가깝진 않지만 일부러 찾아가서 먹을 만큼 맛있는 곳이었다. 점심시간이 지나서인지 가게 안에는 손님이 몇 없었다. 예리가 젓가락을 놓으며 큰 소리로 "해물짬뽕 2개요! 완전 맵게!"라고 외쳤다. 그 목소리가 너무 우렁찼는지 카운터에 사장님, 테이블을 치우던 직원, 앉아 있던 손님들까지 모두의 시선이 일제히 예리에게 꽂히며 다 같이 웃음이 터졌다.

예리에게는 그런 재주가 있었다. 별것 아닌 말과 행동으로 주변 공기를 바꾸는 능력. 밝은 목소리에 어울리는 해사한 미소까지. 누구라도 무장해제 될 수밖에 없는 그런 사랑스러움. 그게 해나가 다이빙을 시작하게 된 이유였다.

퇴사 후, 반복되는 그 악몽에 시달리던 어느 날 무작정 왔던 가을 바다. 꿈속의 그곳과는 전혀 다르게 평온하기만 했다. 잔잔한 물결을 보고 있자니 걱정과는 다르게 마음이 차분해졌다. 그때 해나 앞으로 다이빙 수트를 입은 사람들 한 무리가 지나갔다. 처음 보는 복장과 장비들에 더해 그들의 활기찬 에너지가 해나의 호기심을 움트게 했다.

해나는 먼발치에서 조용히 지켜봤다. 물에 들어갔다가 한참 뒤에 나온 사람들은 하나같이 목소리가 커져 있었다. 자기가 잠수를 얼마나 잘했는지, 얼마나 가까이에서 물고기를 봤는지 자랑하며 신나있었다. 스노클링도 해본 적이 없던 해나는, 전에 봤던 바다 생물 다큐를 떠올려봤지만 어떤 느낌일지 전혀 가늠되지 않았다. 다이버들의 생기 넘치는 모습에 해나는 자기도 모르게 핸드폰을 들어 사진을 찍었다. 찰칵.
파란 하늘과 더 파란 바다. 그 사이에서 건강한 몸으로 건강한 미소
를 내뿜는 사람들. 찰칵찰칵. 조금은 부러운 마음으로 연신 버튼을 눌
렀다.

그때 한 사람이 해나를 알아채고 이쪽으로 걸어왔다. 왜 허락도 없
이 사진을 찍냐며 따지러 오는 것일까. 덜컥 겁이 났다. 급히 걸음을
돌렸다. 그러자 걸어오던 그 사람이 저기요, 하고 불렀다. 못 들은 척
했다. 그 사람이 더 크게 부르며 쫓아왔다.

"저기요! 저 나쁜 사람 아니에요! 잠깐만요!"

해나가 결국 멈춰 섰다.

"죄송해요. 제가 마음대로 사진을…"

"혹시 다이빙 관심 있으세요?"

"네?"

"여기 바다 안 들어가 보셨죠? 생각보다 되게 예뻐요!"

다이빙을 권하는 쨍한 목소리와 맑은 눈동자가 도망자를 붙들었다.
경계심으로 곤두서있던 해나의 시선 끝이 파랗게 물들며 녹아내렸다.
정말 예쁠 것 같았다. 그 사람이 말하는 바다가. 눈부셨다. 그 사람이.
빛에서 사람이 태어날 수 있다면 그런 모습일 것만 같았다.

"얼른 나왔으면 좋겠다! 배고파!"

빛에서 태어난 그 사람이 말했다. 봄바람과 싱그러운 미소와 생기
넘치는 목소리가 한데 어우러졌다. 청춘 영화의 한 장면에 들어와 있

는 것 같았다. 다음 장면으로 넘어가지 않았으면 좋겠다는 생각이 들었다. 가슴이 몽글몽글해졌다. 그러자 모난 의구심이 심장을 쿡 찔렀다. 현실이 맞나. 눈을 감았다 뜨면 그 회의실로 돌아가 있진 않을까. 악몽은 너무 현실적이어서 두렵고, 현실은 너무 비현실적이어서 두려웠다. 해나의 마음에 회색 먼지가 일었다.

음식은 금방 나왔다. 새빨간 국물 위로 온갖 해물이 잔뜩 들어간 대접 두 개가 놓였다. 예리는 주문할 때보다도 더 높은 톤으로 음식을 반기며 그릇째 들고 마셨다. 그러고는 호들갑스럽게 손뼉을 치며 어깨춤을 추기 시작했다. 해나는 웃음이 터져 먹던 국물을 뿜을 뻔했다.

"크으. 역시 보름에 한 번은 수혈하러 와야 한다니까."

"짬뽕 안 좋아한다더니. 이젠 네가 나보다 더 좋아하네."

"그러게. 신기하지. 내가 입맛이 변했나 봐!"

사실 짬뽕은 예리가 아니라 해나가 가장 좋아하는 음식이었다. 짬뽕 중에서도 매운 짬뽕. 눈물이 핑 도는 얼얼한 국물을 들이켜면 땀이 주룩주룩 쏟아지는, 아주 매운 짬뽕. 혓바닥이 아리게 입속에 불이 나면 그 뜨거움에 못 이겨 영혼이 탈출했다. 그러면 머릿속이 조용해져서 좋았다.

"근데 넌 원래부터 짬뽕을 좋아했어?"

"아니."

"그럼?"

"친구 땜에."

"친구? 어떤 친구? 너 친구 나밖에 없는 거 아니었어?"

진짜로 그렇게 생각했던 모양인지 예리의 눈이 두 배로 커졌다.

"쳇, 섭섭하네. 내가 유일한 친구인 줄 알았더니!"

"뭘 또 섭섭하기까지."

"그래서 그 친구가 짬뽕을 좋아했어?"

예리가 새침한 표정으로 성큼 다가와 물었다. 무언가가 궁금하면 상대방 눈앞으로 제 얼굴을 들이미는 것이 그녀의 귀여운 습관이었다.

"아니. 걔는 맵찔이였어."

"뭐야? 매운 걸 못 먹는 애가, 매운 짬뽕을 소개해 줬어? 이상한데."

그랬다. 그 애는 매운 걸 못 먹었다. 그런데 왜 그걸 먹으러 가자고 했던 걸까. 해나는 여태 이상하다고 생각해 본 적이 없었다. 하지만 지금 예리 말을 듣고 나니, 문득 뭔가 앞뒤가 안 맞는다는 느낌이 들었다.

정유한. 그녀는 해나의 후배였다. 경력은 해나가 5년이나 선배였지만 입사 시기가 같아서 빨리 친해졌다. 그리고 2년 넘게 한 팀으로 일하며 둘도 없는 친구가 되었다. 속의 말을 잘 꺼내지 않고 남들에 맞추려 하는 해나에 비해, 유한은 자기주장이 강하고 할 말은 참지 않는 타입이었다. 성격만큼이나 입맛도 반대였다. 해나는 자극적인 맛을 좋아했고 유한은 슴슴한 걸 좋아했다. 그런데 어느 날 갑자기 유한이 먼저 매운 짬뽕을 먹으러 가자고 한 것이다. 버스를 타고 1시간이 걸리는 곳이었다. 해나는 너무 멀어서 안 간다고 했지만, 유한은 제 선배를 억지로 끌고 갔다. 그 뒤로 그 집 짬뽕은 해나의 인생 짬뽕이 되었다. 정작 그곳을 소개해 준 맵찔이는 국물 한 입을 먹을 때마다 쿨피스를 가득 물고 눈물을 글썽였다. 먹지도 못 할걸 왜 먹으러 와서 사서 고생이냐고, 해나는 유한을 보며 한참을 웃었었다.

해나가 그날의 기억을 곱씹었다. 매운 것도 못 먹는 애가. 먹기 싫은 건 쳐다도 안 보던 애가. 왜 그랬을까.

"걔는 네가 매운 걸 좋아하는 걸 알았어?"

"응."

"그 친구도 오늘 나 같았나 보네."

"그게 무슨 말이야?"

"어휴, 강해나 바보네 바보! 너 기분 풀어주려고 그런 거라고."

해나는 선뜻 이해 되지 않았다. 다시 기억을 돌이켜봤다. 그때 머릿속에서 찌릿 무언가가 번쩍였다. 유한이 짬뽕을 먹자고 하기 전날이 불현듯 떠올랐다. 해나가 준비하던 촬영 일정이 갑자기 바뀌어 매우 곤란해진 상황이었다. 스태프들에게 하루 종일 죄송하다고 전화를 돌렸다. 매니저들은 변동된 스케줄에 맞출 수 없다고 난리였고, 광고주는 영상 공개일을 미룰 수 없다고 압박했다. 그 때문에 한숨만 푹푹 내쉬었던 게 떠올랐다.

기억의 책장이 한번 펼쳐지고 나니, 연달아 다음 장으로 또 다음 장으로 넘어갔다. 프로젝트가 엎어져서 잔뜩 화가 났던 날, 한강에서 함께 자전거를 탔던 것. 그러다가 편의점에 들러 맥주와 소시지를 먹었던 것. 매출 때문에 골머리를 앓으며 PT 자료를 만드느라 야근하던 날, 같이 공포 영화를 보러 갔던 것. 진상 출연자 때문에 맘고생을 한 다음 날, 해나가 좋아하는 LP를 사러 둘이 같이 동묘 시장을 돌아다닌 것. 그런 날들이 빼곡했다.

좋아하는 것을 함께 해주는 것. 무엇이 힘든지 묻는 대신, 그 힘듦에서 잠시라도 벗어나게 해주는 것. 그것이 유한의 위로 방식이었다. 해나는 몰랐다. 그 추억들의 시작점에는 언제나 자신의 울적한 한숨이 있었고, 끝점에는 즐거운 웃음이 있었다는 걸. 해나는 여태 몰랐다. 그걸 이제야 알다니. 그 우둔함에 기가 막혔다.

해나가 갑자기 말없이 생각에 잠기자, 예리의 습관이 발동했다. 호기심 가득한 표정이 점점 해나 앞으로 다가갔다. 해나의 시선에 그 얼굴이 들어왔다. 이내 찌릿함이 머릿속에서 다시 번쩍였다. 예리는 분명 '그 친구도'라고 했다. 그 친구도, 자기 같다고 했다.

해나는 스스로가 한심해졌다. 고통을 이겨 낼 강인함이 없는 것도 모자라 감사함을 느낄 눈치조차 없다니. 응당 있어야 했을 그것들이 자라지 못한 자리에, 자기혐오와 부끄러움이 솟구쳐 오르기 시작했다. 그동안 얼마나 많은 위로를 위로인 줄도 모르고 받았던 걸까. 고맙다는 인사를 할 기회를 얼마나 많이 놓쳐버린 걸까. 화산처럼 터진 후회들이 넘치고 넘쳐 두 눈에 흘러내렸다.

"너 울어? 내 말 땜에 그래? 미안해. 어머, 어떡해."

해나의 갑작스러운 울음에 예리가 당황했다. 예리는 곧장 해나 옆으로 자리를 옮겨 우는 친구의 등을 어루만졌다. 터진 눈물은 좀처럼 멈추지 않았다. 크게 소리도 내지 못하고 끅끅거렸다. 해나는 앞에 있는 새빨간 그 음식에서 눈을 뗄 수 없었다. 맵싸한 냄새가 코끝으로 흘러들었다. '제가 뭐라 그랬어요! 맛있을 거라고 했죠? 제 덕분에 인생 짬뽕 만난 기분이 어떠십니까?' 너스레를 떨던 유한의 목소리가 해나의 귓가에 맴돌았다. 펼쳐진 기억의 책장 위로 납작하게 쓰인 추억들이 소리와 냄새를 머금고 입체적으로 살아났다. 과거의 해나가 현재의 해나를 할퀴었다. 즐거웠던 만큼 깊게. 따뜻했던 만큼 아프게.

"미안해. 미안해. 난 몰랐어…"

해나가 쏟아지는 울음 사이로 간신히 단어들을 건져 올렸다.

"네가 짬뽕 먹고 싶어서 오자고 한 줄 알았어. 미안해. 나는…"

"나 짬뽕 먹고 싶어서 오자고 한 거 맞아! 그게 왜 미안해. 나도 눈물 나잖아…"

"유한이한테도 너무 미안해. 그 애가 나한테 진짜 잘해줬는데. 나는, 나는, 하나도 몰랐어. 어떻게 그걸 몰랐는지. 근데 진짜 몰랐어. 그게 너무. 너무…"

"그럼, 미안하다고 하면 되지. 울긴 왜 울어."

예리가 휴지를 한 움큼 빼서 해나의 손에 쥐여 주었다. 그 휴지를 받아 든 손이 떨리고 있었다.

"못해. 이제 여기 없어."

해나가 그 말을 끝으로 엉엉 소리 내 울기 시작했다. 여기에 없다는 말은, 진짜로 이 세상에 없다는 말이었다.

2년 전, 4월의 첫 월요일. 해나가 회사에 들어섰을 때 뭔가 분위기가 어수선했다. 유한의 후배인 Y가 다가왔다. 망설이는 걸음이었고 눈은 방금 운 것처럼 부어있었다. 왠지 모를 불길함이 흐릿하게 피어났다. Y는 입술을 파르르 떨었다.

"강 팀장님…"

"뭐야 왜 그래. 무슨 일인데."

"유한 선배가…"

"유한이가 왜."

"새벽에…"

해나의 불길함이 선명해지고 있었다. 숨이 가빠졌다.

"잠깐만."

그러자 Y의 눈에서 눈물이 뚝뚝 떨어졌다. 그 눈물이 불길함에 확신을 불어넣었다.

"돌아가셨대요."

불길함은 기어코 현실로 기어 나와 불행이 되었다. 해나는 주저 앉았다. 귀로 들은 소리가 뇌까지 도착하는 데는 한참이 걸렸다. 뇌가 그 소리를 언어로 인지하고 해석하는 데에도 한참이 걸렸다. 문득 전날 밤의 일이 떠올랐다. 핸드폰을 켜서 유한과의 대화방을 열었다.

〈2023년 4월 2일 일요일〉

[회사에 계시죠?] 오후 3시 8분

[ㅇㅇ] 오후 3시 8분

[저 7시쯤 도착하니까 잠깐 봐요!] 오후 3시 8분

[ㅇㅋ 무슨 일인데?] 오후 3시 9분

[만나면 알게 되겠죠?] 오후 3시 9분

[뭐야.. 뭔데!] 오후 3시 9분

[ㅋㅋㅋㅋㅋㅋㅋ 그럼 이따 봐요!] 오후 3시 9분

[언제 와?] 1 오후 8시 9분

[잔뜩 기대하게 해놓고 뭐야] 1 오후 8시 22분

[똑똑똑 계십니까...] 1 오후 8시 37분

[왜 안 와ㅠㅠ 전화도 안 받고! 무슨 일 생겼어?] 1 오후 8시 54분

[나 일 다 끝났어! 낼 얘기 하자 굿밤!] 1 오후 9시 19분

멍한 눈앞에 숫자 '1'들이 보였다. 자신이 보낸 메시지 뒤에 아직 그
대로인 숫자들이. 이제 영원히 사라지지 못할 그 숫자들이. 핸드폰 액
정 위로 눈물이 뚝 뚝 떨어졌다. 다섯 개의 '1'들은 눈물에 젖지도, 시
간에 바래지도 않고, 영원히 그 자리에 있을 터였다.

예리가 '이제 여기 없어' 라는 문장의 의미를 깨닫자, 멈추었던 눈
동자가 덜컹거렸다. 어떤 반응도 유보해야 한다는 생각이 들었다. 조
용히 일어나 계산을 하고, 우는 친구를 부축해 나왔다. 집에 가는 내내
해나의 눈물은 멈추지 않았다. 집에 도착해서도 멈추지 않았다. 그동
안 쌓인 눈물이 전부 흘러버릴 때까지 해나는 울고 또 울었다. 예리는
그런 해나를 침대에 눕히고 나와 냉장고에서 캔맥주를 꺼내 땄다. 단
숨에 절반을 마셨다. 상쾌하지도 시원하지도 않았다. 식탁 의자에 앉
아 해나와 보낸 시간들을 돌아봤다. 언제나 적당히 거리를 두고, 본인
에 대해서는 이야기하기를 꺼리던 태도. 할 말을 가득 품은 눈. 그런

눈을 하고서 정작 말은 그 반의 반의 반도 하지 않던 입. 아마도 이럴까 봐 그랬던 걸까. 예리는 남은 맥주를 한입에 다 들이켰다.

해가 질 때까지 해나는 나오지 않았다. 예리가 방문을 열어보니 잠든 것 같았다. 조용히 문을 닫고 나온 예리는 죽을 배달시켰다. '벨 누르지 말고 문 앞에 놓고 가주세요'라는 요청 사항을 추가했다. 그리고 맥주를 한 캔 더 마셨다. 배달 기사는 요청대로 음식을 문 앞에 놓고 갔다. 예리는 문소리가 나지 않도록 노력하며 죽을 가지고 들어와 냉장고에 넣었다. 그러고는 말없이 집을 나섰다.

해나는 밤 9시가 넘어서야 일어났다. 언제 잠들었는지 모르게 잠이 들어서 꿈도 꾸지 않고 잤다. 실컷 울었던 두 눈은 통통 부어 떠지지 않았다. 목이 건조해서 찢어질 것 같았다. 물을 마시러 주방으로 갔다. 거기서 예리가 남긴 메모를 발견했다.

죽 사놨으니까 일어나면 먹어. 따뜻하게 데워서! 꼭!!

눈물이 핑. 가슴에 뜨거운 덩어리가 다시 올라왔다. 입술을 꽉 깨물었다. 친구의 배려에 눈물로 답하고 싶지 않았다. 눈가를 쓸어 닦으며 냉장고 문을 열었다. 그리고 친구의 말대로 했다. 죽을 전자레인지에 돌리고 김이 모락모락 올라오는 것을 호호 불어서 입에 넣었다. 한 입, 또 한 입. 생각보다는 잘 들어갔다. 해나는 그런 스스로가 생소했다. 계속해서 죽을 입속으로 떠 넣으며 오늘의 사건을 복기했다.

어떻게 그렇게 둔할 수가 있는지. 그걸 깨닫는 데 이리도 오래 걸렸다니. 그런다고 그렇게 소리 내서 울다니. 그것도 사람들 있는 데에서. 그것도 가장 좋아하는 친구 앞에서. 그러고 나서 속도 좋지, 꿈도 안 꾸고 잠을 잤다. 게다가, 아무렇지 않게 그 친구가 사다 준 음식을 먹고 있다니. 이상했다. 이래도 되는 걸까. 예리는 나를 뭐라고 생각했을까. 미친 애라고 생각하지 않았을까. 그런데도 예리는 도망가지 않았다. 그 대신 나를 집에 데려다 놓고, 죽을 사다 놓고, 이런 메모를 남기고 갔다. 친구는 떠나지 않았다. 그러니까. 괜찮다.

그게 해나의 결론이었다.

4.

다음 날 아침, 사무실에 해나가 제일 먼저 출근했다. 혼자서 청소를 하고 장비들을 정비하고 커피를 한잔 내렸다. 시간에 맞춰 도착한 예리가 눈이 동그래져 해나를 바라보았다.

"몸은 좀 괜찮아?"

"응. 완전 괜찮아."

"어제…"

예리가 이야기를 꺼내려는데, 기준이 들어오는 바람에 말이 끊겼다. 해나는 커피잔을 들고 밖으로 나오라고 친구에게 눈짓했다. 문을 열고 나가자, 길 건너 큰 벚나무 꽃가지들이 하늘에 일렁였다. 곧 예리도 커피를 들고나왔다. 바람이 불자 벚꽃잎들은 두 사람 앞까지 날아와 앉았다. 예리는 아무 말 하지 않고 커피만 마셨다. 어제처럼 또 해나의 무언가를 건드리게 될까 봐 신중해졌다. 커피를 거의 다 마셔갈 무렵이 되어서야 해나가 먼저 말을 꺼냈다.

"어제 많이 놀랐지? 미안."

"아니야. 내가 괜한 말을 해서."

"아니야. 넌 아무것도 모르고 그런 건데. 오히려 고마워. 덕분에 좀 괜찮아진 것 같아."

"정말?"

"응."

"어쨌든 괜찮다니 다행이다."

"그리고. 그 친구 얘기는…"

"하고 싶지 않으면 안 해도 돼."

"그런 게 아니라. 아직… 좀 어려워서."

"할 수 있을 때, 하고 싶으면 해줘."

"응… 아, 그리고 어제 죽도 잘 먹었어. 고마워."

"오! 먹었어? 다행이다! 하루 종일 암 것도 안 먹어서 어떡하나 걱정했는데. 잘했다!"

그때 기준이 불쑥 문을 열고 나와 두 사람 사이를 비집고 섰다.

"뭘 잘했는데?"

예리와 해나가 눈빛을 주고받으며 웃었다.

"뭔데, 뭔데? 뭘 잘했어, 해나가?"

"아빠 없이 둘만 커피 마시길 잘했다고요!"

"딸! 너무해! 이제 아빠보다 해나가 더 좋은 거야?"

"그걸 이제 알았어요? 하하하"

부녀의 귀여운 투닥거림과 웃음소리가 뒤섞여 퍼졌다. 벚꽃잎들이 몰려와 세 사람 앞을 눈처럼 뒤덮었다. 해나의 마음에 온기가 피어났다. 마침내 진짜 봄이 시작되고 있었다.

"너를 걱정해서가 아니라, 손님들에게 불편한 상황이 생기면 안 되니까 그러는 거다. 알지?"

"아니, 저 진짜 괜찮다니까요."

해나가 물속에서 그 지경이 된 이후 첫 출근이었기에, 기준은 그녀의 입수를 완강하게 반대했다. 손님들 핑계를 댔지만, 사실은 정말 해나를 걱정해서 그런 것이었다. 예리에게 그날 얘기를 듣고는 어찌나 놀랐던지, 큰 병원 가서 검사를 받아봐야 하는 것 아니냐고, 당장이라도 해나 집으로 쳐들어가려는 것을 한참이나 말려야 했다.

딸 예리와 해나는 나이만 같지, 전혀 딴판이었다. 감추는 것도 많고 감정 표현을 잘 하지 않는 아이였다. 기준은 그런 해나를 어떻게 대해야 할지 몰랐다. 하지만 시간이 지날수록 그건 갑옷이라는 걸 알게 됐다. 자신을 보호하기 위해 움츠러든 것일 뿐, 나쁜 의도가 있는 게 아니라고 말이다. 그래서 자꾸 신경이 쓰이고 마음이 갔다. 저 아이를 짓누르는 갑옷이 조금이라도 가벼워지기를 바랐다.

해나는 그다음 날도 물에 들어가는 것을 반려 당했다. 그리고 그다음 날도. 병원에 가지 않을 거라면 당분간은 물에 들어갈 생각은 하지도 말라고, 기준이 엄포를 놓았다. 사장 입장에서는 그것도 맞는 말이었다. 그 발작이 왜 일어났는지 이유를 알 수 없으니, 위험을 감수할 수는 없는 노릇이었다.

그렇게 다이빙을 못 한 지 사흘째. 오후 손님이 없는 틈을 타, 해나는 물에 들어가겠다고 했다. 자기가 괜찮다는 걸 증명하고 싶었다. 기준과 예리도 함께 들어가기로 했다. 해나는 조금 떨리긴 했지만 스스로를 안심시키며 천천히 입수했다. 발끝에 달린 핀을 위아래로 부드럽게 움직이며, 투명하고 푸른 바닷속으로 나아갔다. 바위에 해초들이 무성하게 자라있었고 그사이를 작은 물고기들이 노닐었다. 하얗고 빨갛고 노란 산호들을 지나고 형형색색 희한하게 생긴 물고기들도 스쳤다. 조금 더 내려가니 모랫바닥이 나왔다. 해나는 그 끝까지 내려가서 손으로 바닥을 짚어 보았다. 단단했다. 그러고는 몸의 방향을 바꾸어 발이 바닥을 향하게 했다. 고개를 들어보니 한참 위로 거품이 찰랑대는 게 보였다. 수면 위로는 파도가 치는 듯했지만, 아래쪽은 평온했다. 그렇게 잠시 가만히 있었다. 오롯이 호흡에만 집중했다. 심장의 박동이 균일해졌다. 어느새 눈앞에 기준과 예리가 와있었다. 해나는 전과 다른 평온함을 느끼며 그들에게 다가갔다. 세 사람은 새파란 평온을 누비며 함께 나아갔다.

다이빙은 무사히 마무리되었다. 해나는 물 밖으로 나오자마자 내일부터 손님들을 맡겠다고 했다. 기준은 마지못해 알겠다고 하면서도,

조금이라도 몸이 안 좋으면 꼭 말하라고 신신당부했다.

"내일은 손님도 많고, 저녁에는 내가 일이 있어서 나가야 하는데. 오늘 일찍 끝나기도 했으니까. 해나 생일 파티 하루 먼저 하자!"

해나 본인은 정작 까맣게 잊고 있던 생일에 대해 기준이 먼저 말을 꺼냈다. 예리가 제발 거절하지 말라는 눈빛으로 해나를 뚫어져라 봤다. 해나는 그 표정에 설핏 웃음이 나, 못 이기는 척 수락했다.

부녀의 집에 도착해보니 이미 장까지 다 봐놓았던 모양이었다. 예리는 자기 생일에도 이렇게는 안 한다고, 아빠야말로 자기보다 해나를 더 좋아하는 것 아니냐며 샘을 부렸다. 그러고는 이번만큼은 자기들에게 맡겨 달라며 해나를 주방에서 밀어냈다. 처음 이곳에서 일하게 되었을 때 두 달 정도 이 집에서 같이 살았는데, 부녀가 요리에 통 재능이 없었던 탓에 주방은 언제나 해나의 차지였기 때문이다. 해나는 거실로 가서 익숙하게 스피커를 켜고 음악을 틀었다. 소파에 앉아 있으려니, 서로 자기가 맞다고 옥신각신 대며 무언가를 썰고 끓이고 볶는 소리가 들려왔다.

저런 아빠가 있다는 건 어떤 기분일까. 예리의 엄마는 일 때문에 해외에 있어서 실제로 만난 적은 없지만, 통화하는 것을 보면 부녀와 크게 다르지 않은 성격의 소유자 같았다. 언제나 즐거운 웃음이 넘치는 가족이라니. 실제로 그것이 가능한 것이었다니.

해나의 부모님은 해나가 중2 때 이혼했다. 어릴 때부터 이혼하는 그 순간까지 해나가 기억하는 두 분은 언제나 싸우고 있었다. 자다가도 부모님이 싸우는 소리 때문에 자주 깨곤 했다. 단순한 말다툼이 아니라, 접시가 깨지고 비명이 난무하는 그런 싸움이었다. 이혼 후에 해나는 엄마와 살게 됐다. 3살 아래 남동생은 아빠가 데려갔다. 가족이 두 동강 난 것도 견디기 힘들었지만, 그보다 엄마를 대하는 게 더 힘들었다.

엄마는 말로 사람을 때리는 기술자였다. 불같이 뜨거운 목소리에 귀가 데이고, 얼음처럼 차가운 단어들에 마음이 에였다. 한번은 크게 용기를 내어 엄마와 대화하는 게 어렵다고 얘기한 적이 있었다. 엄마는 둘밖에 안 남은 가족 사이에 솔직한 게 뭐가 잘못이냐고 되려 따졌다.

해나와 엄마의 마지막 대화는 작년 생일이었다. 택시를 타고 가던 중 엄마에게서 전화가 왔다. 망설였다. 엄마와의 대화는 좋게 끝나는 법이 없었고, 생일이라고 다를 것도 없었다. 그 전 생일에도, 그 전전 생일에도 그랬으니까. 하지만 오늘 안 받으면 내일 또 전화가 올 터였고, 어차피 겪어야 하는 거라면 빨리 해치워버리지 싶었다.

"어 엄마."

"미역국은 먹었어?"

"아니."

"생일인데 약속 없어?"

"응."

"쯧. 너 벌써 서른다섯이잖아. 지난번에 이모가 말한 세무사"

"안 봐요."

해나는 최대한 감정을 빼고 대답하려 애썼다. 하지만 아랑곳하지 않는 엄마의 펀치는 멈추지 않고 계속됐다.

"어휴. 감지덕지하면서 나가도 모자랄 판에, 대체 왜 안보겠다는 거니? 내가 그동안 다른 집에 털린 축의금이 얼만데. 아까워 죽겠어!"

해나는 차창 밖 풍경에 신경을 집중하려고 했다.

"맨날 그놈의 일, 일, 일! 돈 얼마나 번다고. 허구헌날 야근해서 퍽이나 부자 됐겠다. 뭐 얼마나 대단한 피디님이라고. 그게 사람 사는 거니? 엄마 말 안 듣더니 생고생하면서 시집도 못 가. 너처럼 유별스러운 애는 첨 봤어. 혼자 똑똑한 줄 알고 엄마 말은 귓등으로도 안 듣지 아주."

해나는 엄마에게 회사를 그만둔 것도, 다이빙을 시작한 것도, 이사를 한 것도 알리지 않았다. 엄마가 그것들을 알았다면 아마 더 험한 소리가 나왔을 테지.

"지금 바빠요. 끊어요."

실컷 얻어맞은 마음이 욱신거렸다. 이럴 거면 나를 왜 낳았을까, 축의금 환수가 내 출생의 목적인 걸까. 해나는 엄마가 미웠다. 이럴 걸 알면서 전화를 왜 받았을까. 해나는 자기 자신도 미웠다. 그때, 라디오에서 DJ의 화사한 목소리가 귀를 잡아당겼다.

"여러분들 모두 행복한 하루 보내시길 바라면서. 오늘의 끝 곡, 데이식스의 'HAPPY' 들려 드릴게요"

노래 제목이 'HAPPY'라니. 대체 얼마나 행복하면 이런 제목을 지었을까. 경쾌한 드럼 비트에 맞춰 노래가 시작됐다.

그런 날이 있을까요? 마냥 좋은 그런 날이요
내일 걱정 하나 없이 웃게 되는 그런 날이요

창 밖에 꽃잎들이 파도처럼 솟구쳤다가 거품처럼 흩어져 내렸다

May I be happy? 매일 웃고 싶어요
걱정 없고 싶어요 아무나 좀 답을 알려주세요

행복해서가 아니라, 행복해지고 싶어서 만들어진 노래였다. 이윽고
눈물이 한 방울 떨어져 내렸다. 그 이후로 다시는 엄마의 전화를 받지
않았다. 그렇게 해나는 엄마를 잃었다. 아빠와 동생은 해외로 나가 산
지 오래라, 거의 남 같은 사이였다. 해나에게 가족이란, 있지만 없는
것이었다.

그런 해나에게 이 가족은 유니콘 같았다. 세상에 없다고 믿었던 가
족의 모습이었다. 그런 척하는 게 아니라 진짜 사이가 좋은 가족. 자신
은 그들과 다른 종류의 인간이라고 여겼다. 하지만 그렇게 되고 싶었
다. 늘.

해나는 듣고 있던 음악을 멈추고 그 곡을 검색해서 틀었다. 엄마와
의 마지막 통화 이후로 듣지 않은 그 노래. 슬픈 노랫말과 정반대의 신
나는 밴드 사운드가 집안 가득 울렸다. 그 위로 엄마의 목소리가 겹쳤

다. 그런데 머지않아 그 목소리가 사라졌다. 예리가 큰 소리로 노래를 따라 불렀기 때문이다.

"나 이 노래 너무 좋아해! 소리 더 크게 해줘!"

예리는 이 노래 가사를 통째로 다 외우고 있었다. 쩌렁쩌렁한 예리의 목소리가 음악 소리를 뚫고 나왔다. 기준도 몸을 들썩거리며 추임새를 넣었다. 해나는 슬그머니 일어나 주방 쪽으로 다가갔다. 그러고는 두 사람이 잘 보이는 쪽에 기대서서 그 모습을 바라보았다. 어느새 해나도 슬며시 리듬을 타고 있었다. 온 집안에 행복이 모락모락 피어났다.

불고기와 닭볶음탕, 방금 무친 겉절이에 잡채 그리고 미역국까지. 해나는 입이 떡 벌어져서 식탁과 두 사람을 번갈아 가며 쳐다보았다.

"와… 저 이런 생일상 처음 받아 봐요."

"네가 달고 짜고 그런 거 좋아하니까. 닭볶음탕도 특별히 더 맵고 달달하게 했고. 불고기랑 잡채도 간간하게 했다. 맛이 어떨지 모르겠네."

해나는 별다른 말 없이 음식들을 하나씩 맛 봤다. 요리사들은 눈알이 빠질 듯이 고객을 쳐다봤다.

"맛있어요! 진짜! 완전 제 입에 딱 맞아요! 너무 감사해요, 사장님. 고마워 예리야."

해나의 반응에 그제야 안도하며 부녀가 하이 파이브를 했다. 먹는 내내 예리는 자기가 요리에 소질이 있는 것 같다며 감탄했고, 기준은 자기가 간을 잘 맞춰서 그런 거라며 딸에 지지 않고 뽐냈다. 해나는 자꾸만 울컥했다. 하지만 꾹 참았다. 따뜻한 음식과 따뜻한 마음으로, 흠결 없이 이 시간을 기억하고 싶었다.

밥을 다 먹고 나자, 기준은 뒷정리와 설거지까지 자기가 할 테니 걱정 말고 둘이 더 놀라고 했다. 해나가 설거지라도 하게 해달라고 했지만 어림없었다. 예리가 해나의 손을 이끌고 자기 방으로 갔다. 보드게임 마니아인 예리의 방에는 수십 개의 게임이 있었다. 해나는 새로운 게임을 하자고 했다. 예리는 신중한 얼굴로 게임 박스를 하나 골랐다.

게임에 집중하다 보니 어느덧 자정이 다 되었다. 예리가 화장실을 가겠다며 일어났다. 그리고 다시 방문이 열렸을 때, 기준과 예리가 케이크를 들고 노래를 부르며 들어왔다.

"생일 축하합니다~ 생일 축하합니다~ 사랑하는 해나의~ 생일 축하합니다! 얼른 소원 빌어!"

해나는 얼떨떨하게 일어나서 눈을 감고 손을 모았다. 그리고 촛불을 불었다. 아빠와 딸이 동시에 와아아 하며 다시 한번 해나의 생일을 축하했다. 해나는 고맙다고 답하며 환하게 웃어 보였다. 기준은 와인 한 병과 잔 두 개를 내려놓고 자기 방으로 돌아갔다. 케이크를 가운데에 두고 앉은 예리와 해나가 잔을 부딪치고 한 모금 마셨다. 상큼한 화이트 와인이 향긋하게 입안을 감쌌다. 곧이어 예리가 케이크를 우물거리며 물었다.

"소원 뭐 빌었어?"

2년 전 생일. 해나는 똑같은 질문을 받았었다. 동료들 몇몇이 케이크를 들고 있었고, 오늘처럼 노래를 불러 주었다. 그때에도 한 사람이 물었었다.

"무슨 소원 빌었어요?"

"비밀."

사실 비밀일 건 없었다. 소원은 없었으니까. 아니, 소원이 없다는 것도 비밀이라면 비밀일까. 소원을 빌지 않는다면 그 이유는 둘 중 하나다. 더 바랄 게 없거나, 무언가를 바랄 수조차 없거나. 해나는 후자였다. 단 한 줄도 긍정적인 단어로 채울 수 없었다. 당장 내일 죽으면 누가 슬퍼해 주기나 할까. 생일 소원 같은 건 누가 빌자고 해서 매년 이 거지 같은 질문을 받아야 하나. 이런 문장들만 떠올랐다. 밤이면 악몽과 불면, 낮이면 이명과 끔찍한 상상들로 채워진 매일. 약을 먹어도 상담을 받아도 좀처럼 나아지지 않았다. 포기하고 싶다는 충동이 들기도 했다. 사는 게 이런 거라면 미련도 별로 남지 않을 것 같았다.

"오늘 뭐 드시고 싶은 거 없어요? 고기라도 썰러 갈까요?"

"미안. 점심 약속 있어서."

두 번째 거짓말. 약속은 없었다. 해나는 서둘러 사무실을 나왔다. 거짓말도 거짓 표정도 지겨웠다. 택시를 타고 10분 정도 가서 손님이 없는 작은 카페로 들어갔다. 가장 구석진 테이블에 앉아 시원한 캐모마일을 한 입 마셨다. 아는 사람이 없는 곳이라서 좋았다. 그런데 얼마 안 있어 손님들이 들어왔다. 곧 그들의 웃음소리로 카페 안이 가득 찼다. 그 소리가 해나의 신경을 긁었다.

웃음. 불안과 무력이 우리의 마음에서 가장 먼저 내쫓아버리는 것.

해나도 예외는 아니었다. 어떤 것을 해도 즐겁지 않았다. 그것을 티 내지 않기 위해 억지로 웃는 것이 더 고역이었다. 그러나 최악은 따로 있었다. 웃는 사람들의 얼굴에 따귀를 날리고, 침을 뱉고, 머리채를 잡아 흔드는 모습을 그려 본 적이 있는가. 해나는 그랬다. 그리고 후회했다. 타인의 행복을 혐오하는 자신을 혐오하는 것. 그것이야말로 해나에게 내려진 최종 형벌이었다.

카페 안의 손님들은 뭐가 그리도 즐거운지 거의 자지러지며 웃었다. 못된 상상이 해나의 마음에 또 마수를 뻗쳤다. 결국 카페에서 나왔다. 차를 타고 왔던 길을 되돌아 걸었다. 어디서부터 길을 잃은 걸까. 어쩌다 여기까지 굴러떨어진 걸까. 구조될 수 없는 조난자. 영영 헤매다가 희망 없이 죽어버리는 것. 해나는 그것이 자신의 결말이 될 거라고 믿었다.

하지만 오늘, 다시 생일을 맞이했다. 웃음과 함께. 그리고 소원도 함께.

"말하면 안 이루어지잖아."

"에이 그런 게 어딨냐? 말하는 대로 이루어지는 거야."

"지금처럼만… 행복하게 해주세요, 라고 빌었어."

"그렇게 빌었어? 에이 안돼. 너 소원 취소해!"

"왜?"

"취소, 취소. 내가 다시 빌 거야. 우리 해나 지금보다 훨씬 훨씬, 훠어얼씬 더 행복하게 해주세요!"

예리가 손을 모으고 눈을 꼭 감고 외쳤다. 해나의 코끝이 찡해졌다. 계속 참고 있던 것이 결국 터지려고 했다. 그 표정을 읽은 예리가 잽싸게 티슈를 해나의 눈가에 가져다 댔다.

"아이구, 또 또. 내 소원이 그렇게 감동적이었어?"

그 말에 해나의 입꼬리가 슬쩍 올라가며 눈물이 주르륵 떨어졌다. 예리가 친구의 어깨를 감쌌다. 해나는 더 울지 않으려 애썼다.

"작년 생일에. 너랑 사장님이 생일 파티 하자고 했는데. 내가 갈 데 있다고 하고 나갔었잖아. 그거 거짓말이었어. 불편했거든. 안 기쁜데 기쁜 척하는 거."

예리는 조금 놀란 듯했다. 해나가 이런 얘기를 하는 것도, 그 얘기의 내용에 대해서도. 예리보다 더 놀란 것은 해나 본인이었다. 자기 입에서 또다시 이런 말이 튀어나올 줄이야. 그런데 의지와 상관없이 일단 뱉고 보니 오히려 담담해졌다. 지난번 경험에서 학습된 안정감일까. 조금 더 솔직해져도 괜찮을 것 같았다. 모두에게서 도망쳐 여기로 온 뒤 처음 발견한 용기였다. 어색했지만, 스스로에게 기회를 줘보기로 했다. 아주 조금만 틀어져도 목적지에 닿지 못하는 우주선처럼. 허무와 절망의 별로 향하던 운명의 궤도에 미세하게나마 오차를 만들어보기로 했다. 해나는 잔에 남은 술을 모두 비우고 말을 이었다.

"어릴 때부터 생일이 싫었거든. 부모님이 싸운 기억밖에 없어서. 2년 전에도 회사 사람들이 파티를 해줬는데 도망쳤어. 근데 그날 밤에 유한이가 그러더라. 내가 좀 행복해졌으면 좋겠다고. 그때 나는, 내가 행복할 자격이 없다고 생각했거든. 걔 눈엔 그게 보였나 봐. 근데 내가 그 말을 듣고 뭐랬는 줄 알아?"

"뭐라고 했는데?"

"내가 불쌍해 보이냐고."

예리가 놀라서 헉 소리를 낼 뻔했다. 자기 친구에게 그런 면이 있을 줄이야. 차라리 말을 안 하면 안 했지, 저런 말을 했다니. 그리고 안타까움이 뒤따랐다. 삼키고 삼키다 못해 겨우 꺼낸 말이 그거라니.

"걔가 정색하면서 화를 내더라. 무슨 말을 그렇게 하냐고. 그리고 막 울더라고. 나빴지 내가. 나 행복해졌으면 좋겠다는 애한테 그딴소리나 하고."

예리는 '유한'이라는 이름을 어디서 들었는지 기억해 냈다. 이제 없다는 그 친구의 이름이었다.

"그게… 그게 걔랑 보낸 마지막 생일이 될 줄 알았으면… 아니, 그게 아니었더라도. 그렇게 말하면 안 되는 거였는데. 내가 걔한테 진짜 나쁜 사람이었어."

해나는 밀려 나오는 눈물을 꾹꾹 눌렀다. 그런 친구를 대신해 예리가 울었다.

"고맙다고 말하고 싶었어. 너한테도 사장님한테도. 정말이야. 고마워."

해나가 눈가를 훔치며 웃어 보였다. 억지 미소가 아니라 홀가분한 웃음이었다. 예리가 눈물을 닦고 해나의 빈 잔에 술을 따라 주었다. 두 사람은 나란히 잔을 들었다.

"지금처럼 행복합시다! 강해나 씨."

"그래. 지금처럼 행복합시다! 진예리 씨. 짠!"

5.

생일 당일은 정신없이 지나갔다. 날씨가 풀리며 온종일 예약이 꽉 차있었고, 해나는 별 탈 없이 다이빙을 해냈다. 한숨 돌릴 틈이 생기자 들여다본 휴대폰에는 아빠와 동생, 친구들과 지인들에게서 생일 축하한다는 메시지들이 와있었다. 평소라면 귀찮아서 제대로 보지도 않았을 텐데. 이번에는 그렇게 지나갈 수가 없었다. 자기 자신도 축하하지 않았던 생일을 챙겨준 사람들. 해나는 한 명, 한 명 감사하다고 정성껏 답장을 보냈다.

그리고 다음 날도 늦은 축하 메시지 몇 개가 더 도착했다. 그런데 그 사이에서 모르는 번호로 온 메시지가 있었다. 미리 보기로 보인 글자들에 해나의 눈동자가 멈췄다.

안녕하세요. 유한이 엄마예요. 전해야 할 게 있어서 연락 드렸…

해나는 눈을 의심했다. 그 이름이 왜 여기에 있는 건지 짐작도 되지 않았다. 긴장한 손끝으로 메시지를 눌렀다. 메시지 자체에는 더 다른 내용이 없었다. 전해야 할 게 있으니 메시지를 보면 연락을 달라는 것이 끝이었다. 해나는 조심스럽게 그 번호로 전화를 걸었다.

"어머, 해나 씨 안녕하세요."

"안녕하세요."

"놀랐죠? 갑자기 연락해서."

"아… 아니에요. 무슨 일이세요?"

"별건 아니구. 실은 얼마 전에 유한이 짐 정리를 했거든요. 근데 거기서 뭘 좀 찾았는데. 해나 씨 물건이 있더라고요."

"제 물건이요?"

"네."

"뭔데요?"

"음… 내가 말해주는 것보다 직접 보는 게 좋을 것 같은데. 혹시 유한이 보러 오지 않을래요?"

5일 뒤가 유한의 기일이었다. 식당에서 엉엉 울었던 일이 스쳤다. 어머님 앞에서 그 꼴이 되진 않을까. 조금 망설여졌다. 눈치를 챘는지 유한의 엄마가 급히 제안을 거뒀다.

"아, 부담스러우면 안 와도 돼요."

"아, 그게…"

"주소 알려주면 그리 보낼게요."

"아니에요. 갈게요."

"정말요?"

"네. 그날 몇 시쯤 가세요?"

"시간은 아직. 가족들하고 맞춰봐야 해서. 그럼 정해지면 다시 연락

할게요."

"네. 알겠습니다. 감사합니다."

해나는 전화를 끊고 한동안 초점 없이 앉아 있었다. 어떤 감정을 느껴야 하는지 모르겠는 기분이었다. 슬퍼해야 하는 걸까, 반가워해야 하는 걸까. 분명한 것은 피하고 싶지 않다는 것이었다. 피할 수 없는 게 아니라, 피하고 싶지 않았다. 자신의 궤도가 좀 더 확실하게 희망의 별을 향해 기울었으면 했다.

조금 어수선한 마음으로 나흘이 지났다. 드디어 닷새째 그날. 약속 시간은 오후 3시였다. 어머님은 가족들이 간 뒤에 둘이 만나자고 했다. 해나는 건물로 들어가려다 말고 유리문에 비친 제 모습을 들여다보았다. 어떤 표정을 지어야 할지 헷갈렸다. 한참을 고민했지만 결국 선택하지 못한 채 걸음을 옮겼다. 온 벽에 가득 찬 아무개들의 이름 사이로 뒷모습이 하나 보였다.

"안녕하세요, 어머니. 강해나입니다."

해나가 조심스럽게 옆으로 섰다. 세련미가 넘치는 중년 여성이 해나를 보며 반갑게 인사했다. 2년 전 장례식장에서 봤던 모습과는 사뭇 달랐다. 하루아침에 젊은 외동딸을 잃은 엄마를 그 딸의 장례식에서 처음 봤으니 당연한 일이었다. 똑단발에 동그란 안경 그리고 옅은 화장. 치장하지 않아도 느껴지는 기품이 있었다. 유한이 가끔 엄마 얘기를 하며, 자기를 일찍 낳지 않았다면 조각가가 되었을 거라고 했던 게 떠올랐다. 조각가가 꿈이었던 그녀는 인생을 바쳐 조각한 유일한 그 아이를 잃고 어떤 시간을 보냈을까.

"자, 받아요."

LP였다. 흑백 표지에는 한 여인이 애달픈 눈으로 얼굴을 감싸고 있었다. 그 옆으로 아는 이름이 쓰여 있었다. 에디트 피아프였다. 그리고 그 아래 'je ne regrette rien'이라고 쓰여있었다. 해나는 그것도 알아봤다. '라 비앙 로즈'라는 영화를 유한과 같이 본 적이 있었다. 그 제목은 '장미빛 인생'이라는 의미로, 프랑스 국민 가수인 에디트 피아프의 일생을 다룬 영화였다. 그리고 그녀의 대표곡이 바로 'Non, je ne regrette rien'이었다. 그 뜻은 '아뇨, 전 후회하지 않아요'였다. 해나가 아주 좋아하는 곡이었다. 그리고 해나는 하나를 더 건네받았다. 작은 카드였다.

"유한이가 그날… 해나 씨한테 이걸 주러 가던 길이었나 봐요."

해나의 숨이 턱 막혔다. '저 7시쯤 도착하니까 잠깐 봐요!' 2년 전 기억 속의 메시지가 소환됐다. 왜 만나자고 했는지 평생 알 수 없을 줄 알았는데. 전혀 예상치 못한 답안지가, 전혀 예상치 못한 방법으로 도착했다.

"사고 났을 때 현장에 있던 소지품을 받아서 모아 놨는데. 그걸 손 안 대고 그냥 뒀거든. 게다가 포장이 되어 있어서 이게 해나 씨한테 주려던 건지 몰랐어요. 좀 늦었지만. 그래도 주인을 찾아주는 게 좋을 것 같아서 연락했어요."

해나는 뿌예지는 시야를 다잡으며 카드를 열었다.

To. 해나 선배

늦었지만.. 선물 받아 주실 거죠?

배송이 다른 데로 잘못 가는 바람에ㅠㅠ

그래도 이렇게 무사히 드릴 수 있게 되어서 기쁩니당! :)

어쨌든! 선배가 행복해졌으면 좋겠다고 했던 말...

진짜 진심이에요. 알죠? ♡생일 진짜 진짜 축하해요♡

- 유한 드림

유한이 사고가 났던 장소는 평소 전혀 갈 일이 없는 외딴 동네였다. 대체 거기를 왜 갔는지 모르겠다고, 입을 모아서 모두가 그랬었다. 그 물음 아래 드디어 정답이 적혔다. 오배송. 그리고 이런 설명이 덧붙었다. 구매 물품, 강해나의 생일 선물. 수령 물품, 정유한의 죽음.

해나가 어찌 할 틈도 없이 눈물이 먼저 흘렀다. 용기 내어 비틀었던 운명의 궤도가 어긋나도 너무 한참 어긋나 버렸다. 역시 섣부른 기대였을까. 희망인 줄 알았던 종착지는 후회의 블랙홀로 판명되었다. 곧장 그곳으로 빨려 들어갈 참이었다. 그 순간, 다정한 목소리가 해나를 붙들었다.

"유한이가 해나 씨 얘기 많이 했었어요. 자기 힘들 때 많이 도와줬었다고. 그래서 자기도 해나 선배한테 힘이 돼주고 싶다고. 그러니까 유한이가… 우리 딸이… 힘이 될 수 있게 해줘요, 해나 씨."

해나의 탄생에서 말미암은 유한의 종말이었다. 다른 어떤 조건이 붙는다 해도 변하지 않을 원인과 결과였다. 고작 내 생일 선물을 위해 그곳까지 가서 죽어야 했다니. 죽어야 할 사람은 나였는데. 해나는 자신의 존재를 참을 수가 없었다.

"저 때문에… 저 때문에 유한이가…"

자책하는 울먹임이 터져 나왔다. 죽은 딸의 엄마가 고개를 저었다.

"아니야. 해나 씨는 죄 없어. 사고는 사고일 뿐이잖아. 그러지 마요."

"죄송해요. 정말 죄송해요…"

두 사람의 흐느끼는 소리가 안개처럼 퍼졌다. 그 안개 위로 유한의 웃는 얼굴이 햇빛에 반짝였다. 사진 속 그녀에게도 목소리가 있었다면 아무도 미워하지 않기로 하자고 했을 텐데. 이제 세상에 없는 그 미소만이 묵묵하게 슬픔을 듣고 있을 뿐이었다.

한참이 지나서야 눈물의 안개가 걷혔다. 두 사람은 겨우 자리를 털고 일어나 서로를 부축하며 걸어 나왔다. 그리고 그늘이 드리운 벤치에 나란히 앉았다. 엄마는 딸아이 친구의 손을 잡았다. 둘의 시선이 그 손에 모아졌다. 그리움과 아쉬움과 서글픔이 온기에 녹아 아지랑이처럼 피어올랐다.

"해나 씨, 나 부탁이 있는데. 들어 줄래요?"

"부탁이요?"

"같이 밥 먹어요. 우리 집으로 오면 더 좋고."

"제가, 가도 되나요?"

"그럼요. 내가 심심해서 그래. 우리 집 양반은 출장이 많아서 집에 없을 때가 많거든."

"어머님이 괜찮으시면… 한 번 놀러 갈게요."

"그래요. 꼭 와요. 내가 맛있는 거 해줄게."

"네. 알겠습니다. 꼭 갈게요."

"딸 하나 더 있는 것 같아서 좋네."

엄마가 방금 생긴 딸의 손등을 토닥였다. 해나의 마음이 뭉클해졌다. 원망이 아닌 용서와 친절함으로 자신을 보듬어준 이분께 보답하고 싶어졌다. 그 아이가 살아야 했을 몫까지 더 간절하게 살아야 한다고. 해나의 마음이 다시 궤도를 고쳤다. 목적지가 정확히 어디인지는 모르지만, 다만 빛을 향하고 있었다.

6.

"오오, 신기해! 틀어보자 얼른!"

그동안 모으기만 했지 정작 들을 수 없던 음반들. 해나는 유한의 선물을 그대로 둘 수 없어서 얼마 전 LP 플레이어를 샀다. 예리가 해나보다 더 신나서 동동거렸다. 턴테이블 위에 레코드가 돌기 시작했다. 후회하지 않는다고 노래하는 에디트 피아프의 목소리가 묵직하게 울렸다. 타오르는 열정과 우아한 품격이 공존하는 오묘하고 아름다운 목소리였다.

이런 분위기에 술이 빠질 수 없다며 예리가 와인을 땄다. 파란 형광

등을 끄고 노란 조명과 캔들을 켰다. 은은한 불빛들 위로 진한 레드 와인의 향기가 풍겼다.

"바다 제일 깊은 곳 깊이가 얼마나 되는지 알아?"

예리가 뜬금없이 물었다.

"너 지난번에 편집할 때, 자막에 그런 말 쓰고 있었잖아. 깊이를 알려면 내려가 봐야 한다? 뭐 그런 말."

"맞아. 그런 말 쓰고 있었지."

"그래서 내가 궁금해서 찾아봤거든. 11,034 미터. 비티아즈 해연이라는 곳이래."

"만, 천, 삼십사. 와. 진짜 깊네."

지구에서 가장 높은 산인 에베레스트가 들어가고도 남는 깊이. 눈에 보이는 땅 위의 세상보다, 보이지 않는 물 아래의 세상이 훨씬 더 광활했다.

"지금까지 달에 간 사람이 열두 명인데, 바다에서 그 정도 깊이 가본 사람은 네 명밖에 안 된대. 달보다 바다가 더 미지의 세계인 거지."

아직은 아는 것보다 모르는 게 더 많은 심해의 세계. 그 깊은 바닷속에는 어떤 것들이 있을까. 예측하는 것과 관측하는 것은 전혀 다른 문제다. 알기 위해서는 봐야 하고, 보기 위해서는 가야 한다.

"근데 그거보다 더 미지의 영역이 있어. 뭐게?"

"뭔데?"

"바로 사람의 마음이지. 마음의 깊이는 잴 수 없다구! 흐흐흐."

"아 뭐야. 우우, 노잼."

친구의 유머에 야유를 보냈지만, 해나는 궁금해졌다. 사람 마음의 깊이는 정말 얼마나 될까. 그 가장 깊은 곳에는 무엇이 있는 걸까. 나는 제대로 들여다본 적이 있었을까. 나의 마음속을. 내 마음이니까, 그게 곧 나니까, 다 안다고 생각했는데. 모래사장에 서서 바다를 내려다보며, 깊이가 몇 미터쯤 되겠군, 하고 짐작하는 것과 다름없지 않았을까. 해나는 기억 속의 지난 한 달을 되짚었다. 스스로가 낯설게 느껴졌다. 원래 알던 자기라면 하지 않을 말과 행동투성이였다. 나는 나를 얼마나 모르고 있었던 걸까.

달에 간 사람이 열두 명. 그 깊은 해연에 도달한 사람이 네 명. 그리고 내 안에 들어갈 수 있는 사람은 단 한 명. 바로 나. 오직 나만이 나의 바다를 탐험할 수 있다.

해나는 창문을 열었다. 봄과 바다와 밤의 냄새가 한데 어우러져 바람에 실려 왔다. 레코드가 한 바퀴를 다 돌아서 음악이 멈추었다. 그러자 파도 소리가 공백을 채웠다. 예리가 레코드판 위에 바늘을 다시 올렸다. 그리고 해나 옆으로 와서 머리를 기대고 노래를 따라 흥얼거렸다. 에디트 피아프의 목소리가 다시 집안을 채웠다.

후회하지 않아요.
좋은 일도 나쁜 일도 그저 과거일 뿐이에요.
이제 새롭게 시작할 거예요.

어깨에 닿은 친구의 온기. 또 다른 친구가 주고 간 노랫소리. 탐험 준비는 그것이면 충분할 것 같았다.

해나의 가슴 속에 풍덩, 하고 빠져드는 소리가 났다.

아가미 없는 자의 우울

류해아

류해아 예민함과 불안함을 감추고 살아가는 사람. 아닌 척이 통했는지 주변 사
람들로부터 보기보다 여리다는 소리를 자주 듣는다. 최근에는 단단한 이
미지에 시간 쓰는 것보다 겉과 속의 차이를 줄이는 게 낫다는 걸 깨닫고
솔직해지려 노력한다.

brunch : https://brunch.co.kr/@63ba569dadee46e

프롤로그

　마음에 남아 오래 곱씹게 되는 말은 언제나 생각지도 못하게 찾아오고는 한다. 그날도 그랬다.

　　　　　　　　　　　　　．

　싱어게인이라는 노래 경연 프로그램에 한 참가자가 기타를 메고 무대 위에 올라선다. 노래를 시작하기 전 자기소개 과정에서 심사위원은 지원서에 적힌 '나의 인생 가장 큰 고비의 순간'에 대한 부분에서 멈칫한다. 그는 내려놨던 마이크를 다시 잡고 참가자를 바라보며 이에 관해 물어본다. 초등학교 때 일어난 사고로 오른손 검지 손가락이 절단되었는데 고비까지는 아니지만 크게 각인이 된 순간이었다고 덤덤하게 말한다. 새끼손가락과 길이가 비슷한 검지 손가락에 집중됐던 시선은 참가자 목에 걸려있던 기타로 옮겨간다. 그렇다면 기타를 칠 때 핸디캡은 없나요.

(아직) 손가락 네 개 남았고,
문제 삼지 않으면 문제 안 된다고 생각합니다.

참가자는 짧아진 검지 손가락을 말할 때와 크게 다르지 않은 톤으로 설명한다. 인터뷰가 끝난 뒤 참가자 곁에 있던 MC는 사라지고 핀 조명만이 그를 비추고 있다. 손가락과 성대를 가볍게 푸는 그의 모습에 청중은 자세를 고쳐 앉는다. 그는 가벼운 심호흡으로 긴장되는 마음을 다독인다. 준비됐다는 그의 나지막한 목소리가 마이크를 타고 스튜디오에 퍼지자, 무대 전체가 한순간 밝아지기 시작한다.

·

영상을 봤을 때 사실 노래보다는 그의 답변이 오랫동안 마음속에 남았다. 문제 삼지 않으면 문제가 되지 않는다는 말. 내가 탄 버스보다 늦게 출발한 버스가 먼저 도착지에 가 있는 일도 문제가 되는 나는 혼자서 도달할 수 없는 문장이었다. 실시간 교통 상황, 버스 기사님의 운전 스타일 같은 예측 불가능한 변수까지 고려해서 최고의 선택을 해야 했다고 자책하다가, 내가 탑승한 차가 빨리 가는데 어느 것 하나 운이 따르지 않는 상황에 억울해했다. 심지어는 문제 삼는 내가 이상한 사람으로 보일까 봐 입 밖으로 꺼내지도 못했다.

심리에 관련된 책을 읽고, 상담을 다녀도 초침처럼 같은 곳을 맴돌고 있다는 생각에 무기력해졌다. 그러다 일상에 신선함이라도 주려고 시작한 독서가 글쓰기까지 이어졌다. 결국은 내 얘기를 쓰게 되었고 쓰다 보니 생각보다 솔직하게 적어 내려갔다. 혼자 보는 메모에라도 적어두면 문제를 나한테서 떨어뜨려서 이진법 세상에 묶어놓을 수 있다고 믿었다. 어떤 날에는 글이 안 써져서 화면 속 커서만 본 적도 있고 다른 날에는 그 당시가 떠올라서 키보드보다 휴지에 더 손이 많이 간 날도 있었다. 다만 계속해서 쓰다 보니 '문제'에 대해서 이야기할 수 있었고 시간이 지나면서 '문제'가 되지 않았다. 순간을 순간으로 둘 수 있게 하나씩 하나씩 지나온 길에 두고 걸어갈 수 있었다. 내가 아무렇지 않다고 생각하면 정말로 아무렇지 않게 된다.

젊은 날의 초상

01

재화란 언제나 부족했다. 규칙적인 가슴계의 오르내림과 반복되는 두 다리의 교차조차 자본주의사회에서는 모두 돈이 필요한 일이었다. 고등학교 때는 똑같은 교실, 똑같은 일상을 보내느라 빈부격차가 크게 느껴지지 않았다. 그러다 대학 진학 후 돈에 대해서 자주 생각했고 전체 집단에서 나는 어느 계급에 속하는지 곧잘 셈했다. 우리 부모님은 집도, 차도, 직업도 있었지만, 성인 이후 만난 사람들과 나는 한 부류로 묶이기에 어려워 보였다. 지붕이 있어도 다 같은 집이 아니고 바퀴가 네 개 달려있어도 다 같은 차가 아니었다.

02

학과 수업이 모두 마치고 자유시간이 시작되는 오후 6시쯤부터 자리를 떠야 했다. 나와 친구들 모두 학교 근처 음식점으로 갔지만 그들은 식사를 즐기기 위해서였고 나는 아르바이트를 하기 위해서였다. 방학 때도 마찬가지였다. 동기들은 이리저리 여행도 가고 추억을 쌓았지만, 나는 통장잔고에 돈을 쌓아야 했다. 정기적으로 또 꾸준히 아르바이트해야 했기에 약속에서 서서히 소외되었고 점차 내가 모르는 그들만의 기억이 생겼다. 공유하지 못한 시간에 대해서 넉살 좋게 물어볼 정도로 초연한 사람이 아니었다. 이해하지도, 이해받지도 못한다는 생각에 일상에서 그들이 있을 자리를 지워버렸다.

경제적으로 독립한 나만이 진정한 어른이고 그렇지 않은 애들은 온실 속의 화초라고 생각했다. 손에 물 한 번 묻히지 않아서 사회생활이 뭔지도 모르는 아직 어린 대학생. 심지어 아르바이트 중에서도 육체노동만이 진정한 일이라고 여겼다. 프롤레타리아의 마음을 아는 건 나뿐이라면서 나머지 사람들을 얕잡아 봤다. 왜 그랬을까. 스스로를 보듬어 줬다면 이런 마음들이 금세 흩어졌을 텐데. 치열했던 순간들이 안쓰럽지만은 않았을 텐데.

03

대부분의 경우 두 가지 종류의 아르바이트를 병행했다. 책상에 앉아서 가르치는 일과 음식점이나 마트에서 몸을 부지런히 움직여야 하는 일. 학과 공부가 너무 하기 싫어 책을 가까이하는 것도 곤욕일 때쯤 앉아 있을 시간도 없는 아르바이트할 요일이 왔다. 오래 서 있어서 발이 아프고 몸이 지칠 때면 과외를 하는 날이 다가왔다. 그러다 예상과는 다르게 움직이는 아이를 보며 정신이 아득해지면 차라리 내 미래를 위해 전공 공부를 하고 싶어지는 상태에 도달했다. 학생 본분에 집중하려다가도 다시금 학교 밖 생활이 그리워져 육체노동 – 과외 – 학업 세 개의 일을 위태롭게 저글링 하며 대학 생활을 보냈었다.

내 몸 하나 건사할 정도의 용돈 정도만 벌면 됐지만 학과 공부와 병행하면서 아르바이트하기에는 버거웠다. 힘들다고 느끼면 주저앉아 다시는 일어나지 못할까 봐 걱정이 비집고 들어오지 못하게 바쁘게 더 열심히 살았었다. 내 의지대로 아르바이트하고 있었지만, 눈치 보지 않고 용돈을 받으며 대학 생활을 할 수 없는 집안 상황을 비관하기도 했었다. 인간의 욕심이란 끝이 없었고 그쯤에는 내가 누리고 있는 것들이 당연하게 여겨졌다. 돈 걱정 없이 학교에 다니는 동기들을 보면서 배알이 꼴렸다. 다음날 또 다음날 강의실에서 아르바이트 갈 생각을 하면 마음 한쪽이 답답해졌다.

04

아르바이트로 번 돈은 한 달 생활비를 쓰고 나면 남는 게 없었고 남더라도 학자금 대출 이자를 갚아야 했다. 물론 아끼면 됐지만 친구들과의 약속도 포기할 수 없었고 남들이 하는 건 뭐든 해보고 싶었던 나이였기 때문에 저축할 생각은 하지 못했다. 나와는 다르게 월급을 착실히 모으는 동기들을 보면서 자책했던 적이 있었다. 알고 보니 그들은 따로 용돈을 받고 아르바이트로 인한 소득은 여유자금이었다. 동일한 시간을 할애해서 비슷한 돈을 벌더라도 손에 얻어지는 결과는 각기 달랐다. 그 시절에 나는 출발점과 도착지까지 거리에 대해서 골똘히 생각할 수밖에 없었다.

　가지지 못한 것에 갈증을 느끼고 분노로 타오르는 시간은 더디게도 빠르게도 흘러 이제 직장인이 되었다. 서류상으로 회사에 소속되어 있고, 아르바이트 월급에 비하면 몇 배는 되는 돈이 통장으로 들어오지만, 대학생 때와 크게 달라지지 않았다. 내 시간을 돈으로 바꾸고 있는 이 삶이 의미가 있는지 그 돈을 어떻게 쓰고 얼마나 모아야 하는지 답 없는 고민을 곁눈질로 본 타인의 삶으로 기준을 세우고는 이내 좌절에 빠진다. 아직 나의 시간은 그때 머물러있는 것만 같다.

아가미 없는 자의 우울

01

생각해 보면 바다가 주는 이미지와 그 풍경이 좋았던 거지 물이 좋았던 적은 없다. 튜브를 타고 있더라도 꼭 발이 닿는 깊이에서만 놀곤 했다. 그런데 내가 재작년에 뭔가에 홀린 듯 프리다이빙 원데이 클래스를 신청했다. 하고 싶은 것보다는 경험하지 못했던 것, 이번 기회가 아니면 영원히 못 할 것 같은 것들을 마음먹고 하나씩 해나가고 싶었다. 살면서 자유형 강습 석 달 수강 말고는 수영장 경험이 없다는 걸 고려한다면 쉽게 도전하기 어려운 일이었지만 두려움 너머에 있는 미지의 세계에 대한 로망과 호기심이 나를 이끌었다.

02

수영복만 챙기면 각종 장비를 대여해 주기 때문에 마음 편하게 잠실 수영장으로 향했다. 비가 와서 스산한 수영장 입구를 지나쳐 건물 안으로 들어갔다. 프리 다이빙은 말 그대로 산소통 같은 다른 도구의 도움 없이 이루어지는 다이빙이기 때문에 혈혈단신의 몸으로 물에 들어가지만, 불편한 수트를 입은 몸은 물에 닿기도 전에 천근만근이었다. 수트 착용만으로도 불편했는데 얼굴에 마스크와 스노클을 끼자, 불편 감은 더해졌다. 강사님 본인이 수영을 못 한다는 사실로 겁먹은 나를 안심시키려고 했지만 의아함만 생길 뿐 두려움은 사라지지 않았다.

먼저 호흡법을 배우기 위해 풀장 가장자리 수심이 얕은 곳에서 수 업을 시작했다. 친구와 함께 수영장 건물에 들어왔을 때도 수트를 입 고 수영장에 발을 담갔을 때도 느껴지지 않았던 현실감이 연습 시작과 동시에 몰려왔다. 겁도 많은 게 왜 여기 왔을까. 혼자 왔으면 도망갔을 텐데 다행히 같이 온 친구가 있어서 조금 더 용기 내보기로 했다. 벽을 잡고 무릎 아래 수영장 바닥이 닿는데도 무서웠다. 익히 알던 수영장 보다 사람이 많고 그 사람들 대다수가 마스크로 얼굴을 가리고 있어서 였을까. 눈코입이 얼굴에 잠기게 물속으로 들어가 틀어막혀진 코를 무 시한 채 스노클로 숨 쉬었다. 그러자 주변 소리는 점차 잦아들고 귓가 에는 물 흐르는 소리만 들렸다.

무서움이 극에 달했는지 아니면 물이 차가워서 그런지 벽을 잡고 있 는 손이 바들바들 떨렸다. 시작부터 이러면 수심이 깊은 곳은 어떻게 들어가는지 고민이 깊어지고 있었다. 그때 따뜻한 손 하나가 내 오른 손 위로 다가와 토닥토닥 안심시켜 주었다. 그 손은 수업 초반에 인사 했던 '버디'의 손이었다. 프리다이빙할 때 '버디'라고 응급상황을 예 방하거나 대처할 수 있게 프리 다이빙에 능숙한 분들이 초보 수강생들

근처에 있었다. 버디들과 수업은 같이 받지 않지만 잠수할 때는 같이 행동하기 때문에 수업 초반에 얼굴을 익혔었다. 그 손길로 인해 두려움이 사라지지는 않았지만 적어도 혼자가 아니라는 사실이 물속에서 더 버틸 수 있게 해주었다. 다시 수면 위로 올라왔을 때 버디는 겁먹지 말라며 말을 걸어왔다. 문득 낯선 이의 온기와 음성이 새삼스럽게 느껴졌다.

03

그날 원데이 클래스를 듣는 수강생은 나를 포함해서 네 명이었다. 스노클에 익숙해진 학생들에게 주어진 다음 목표는 수영장 바닥까지 내려가 보는 것이었다. 부표에 매달려 스노클을 통해 호흡을 고르다가 자신의 순서가 오면 수영장 바닥까지 연결된 줄을 따라서 가능한 깊이까지 갔다 오기. 나에게는 부표를 잡고 있는 것부터가 문제였다. 차례가 아닌 나머지 사람들은 부표를 손으로 잡고 얼굴을 수면 아래로 둔 채 몸을 물에 둥둥 띄워 부표 아래 사람이 오르고 내릴 때 충돌하지 않게 피해 있어야 했다. 그러나 나는 겁에 잔뜩 질려 몸을 띄우려고 하면 다리 쪽이 가라앉아서 자꾸만 수면에 수직으로 떠 있게 돼버리거나 겨우 부표에 상체를 얹으면 몸과 함께 부표가 가라앉으려고 했다. 강사는 사고 위험 때문에 조심하라고 했지만, 몸이 마음대로 되지 않았다. 물에 대한 두려움이 원인인 걸 안 강사가 긴장을 풀면 뜰 수 있다는 당연한 말을 해줬지만, 상황은 나아지지 않았다. 당사자인 나보다 본인이 더 답답하다는 표정을 짓더니 나무라는 듯한 말로 대화를 끝내고는 수업을 진행했다. 결국에는 혼자서 해결하는 수밖에 없었다.

다시 부표를 잡고 물속을 바라보았다. 수영장 아래에서는 저마다가 각자 할 일을 하고 있었다. 산소통을 메고 돌아다닌다거나 잠수하기 위해 물 아래로 내려가거나 혹은 수강생의 모습을 촬영하고 있거나. 각자의 일을 하는 모습을 보니 지상에서의 모습과 다를 게 없어 보였다. 이 모습들을 지켜보기 위해서는 코를 막고 입으로 숨을 쉬어야 한다는 점만 빼고는. 핀을 부드럽게 움직이며 헤엄치는 모습을 보면서 더 이상 무섭지 않았다. 이렇게 많은 사람이 일상에서 밥을 먹듯 자연스럽게 움직이는 공간이라면 나도 자연스럽게 움직일 수 않을까 하는 생각이 들었다. 이 공간에 물이 차 있지 않았다면 수영장 바닥까지 가는 건 쉬운 일이다. 바닥에 도달하는 것뿐만 아니라 바닥에 계속해서 머무르며 걸을 수도 있다. 그저 이 공간에 물이 차 있을 뿐 수영장 밖과 같다. 그런 생각들이 불현듯이 들자, 나를 둘러싸고 있는 물이 공기처럼 편안해졌다. 죽으러 가는 게 아니라 그냥 내려간다는 생각에 좀더 침착해질 수 있었다.

평온해진 마음으로 요동쳤던 몸의 움직임을 가라앉히며 수면에서 순서를 기다렸다. 처음이라는 미숙함과 떨쳐내지 못한 두려움 때문에 첫 번째 시도는 보기 좋게 실패했지만, 두 번째는 훨씬 나았다. 그때는 처음보다 더 깊이 더 차분하게 아래로 내려갈 수 있었다. 달라진 건 마음가짐이었다. 좀만 더 가면 수영장 바닥을 손으로 짚을 수 있었는데 귀가 찢어질 듯한 통증에 무리하지 않고 줄을 위로 향하게 잡고 떠오를 준비를 하였다. 몇십 분 전을 생각하면 대단한 발전이었지만 성공하지 못했다는 사실이 나를 침울하게 만들었다. 수면으로 올라오는 동안 주변에 시간이 흐르지 않는 것만 같았다.

수업의 마지막 관문은 부표와 줄 없이 자신의 힘으로 잠수를 해낼 차례였다. 부표를 잡지 않은 상태에서 손을 수중에 뻗고 있다가 준비가 되면 복부에 힘을 주어 상반신을 접어 물 아래로 잠수한다. 역시나 혼자서는 잠수하기 어려워 강사가 목에 가까운 등 쪽을 물 아래로 밀어주면 온몸을 양옆으로 뒤뚱거리며 물 아래로 들어가 본다. 발을 움직여 동작을 만들어 내야 하는 상황이 걱정스러웠다. 숨을 참고 몸을 움직이면 금방 숨이 찰 텐데. 이미 머리를 물 아래쪽으로 숙이는 것도 무서웠던 나는 재빨리 방향을 틀어 수면 위로 오르려고 했다. 분명히 수트의 부력 때문에 가만히 있으면 뜬다고 했는데 생각보다 위로 떠오르는 속도는 더뎠고 그 몇 초가 너무나도 긴 시간이었다. 아까와 같이 답답해하는 강사를 보며 깊게 내려갈 엄두도 내지 못한 채 수면에 가까운 높이에서 핀을 굴리며 헤엄치다 벽 쪽으로 가서 쉬었다.

동행한 친구도 다이빙은 처음이고 심지어 수영도 못 한다고 해서 동질감을 느꼈는데 시간이 갈수록 친구와 나의 실력은 벌어졌다. 친구는 나와는 다르게 겁먹지 않았다. 프리다이빙이 처음이라는 말이 무색하게 모든 동작을 능숙하게 해나갔다. 인어처럼 헤엄치는 수강생들을 보면서 왜 나는 저러지 못할까 비교하게 되고 그들이 부러웠다. 그들은 물을 무서워하지 않았고 그들의 놀이터처럼 유유히 물속을 헤엄치고 있었다. 나는 벽을 잡고 서는 것도 무서운데. 물속을 본인들만의 세상처럼 여기고 있는 사람들에게 나는 이해받지 못할 사람이었고 물과 친해지기에 남은 시간과 일정이 여유롭지 않았다. 언젠가는 꼭 성공하고 싶었지만, 언제가 언제일지 모르는 상태로 물에 흠뻑 젖은 몸을 수영장 밖으로 이끌었다.

05

그날 밤 자려고 눕자, 물 위에 떠 있던 오후의 감각이 살아났다. 내가 있는 곳은 뭍인데도 배영 자세로 물에 떠 있는 것 같았다. 귀에 물이 참방참방 들어왔다 나왔다 하면서 등 대고 있는 바닥이 딱딱한 고체가 아니라 액체로 바뀌어서 가라앉을 것 같은 느낌이 들었다. 갑자기 수영장에서의 일이 떠오르면서 온몸에 힘이 들어갔다. 긴장된 몸 때문에 지금도 가라앉는 중인지 귀까지만 차 있던 가상의 물은 어느새 코 밑에서 참방거리다가 이내 코안 쪽까지 들어와 숨을 막히게 했다. 있지도 않은 물을 코안에서 털어내고 다시 천천히 숨을 내쉬고 들이쉬어 본다. 아직도 무언가가 막혀있는지 숨이 잘 쉬어지지 않는다. 여러 번 시도 끝에 되찾은 호흡에도 불구하고 아직도 물속에 있는 듯했다. 끝없이 가라앉는 느낌에 오늘 밤, 잠을 잘 수 있을지 의문이었다.

아버지에게는 항상 신나 냄새가 났다.

그에게는 항상 약품 냄새가 났다. 그 냄새는 그가 입는 옷뿐만 아니라 그가 지나간 공간에도 자취를 남겼다. 냄새가 얼마나 독한지 그가 타고 내린 지 한참 지난 엘리베이터에도 특유의 향이 남아 있어 따로 알아보지 않아도 그가 엘리베이터를 탔었는지 알 수 있는 수준이었다. 이 냄새는 그의 자가용에 특히 짙게 배 있었다. 그래서 그의 아이들은 차를 탈 때마다 칭얼거렸다. 차에서 나는 냄새 때문에 입으로 숨을 쉬며 코 막힌 목소리로 창문을 열어달라고 했다. 잠깐의 환기로는 지울 수 없는 냄새에 아이들은 멀미가 나 차를 탈 때마다 잠을 잤다. 그의 딸은 주유소 기름 냄새 같기도 하고, 페인트 냄새 같기도 한 이 냄새가 도대체 무엇이냐고 자신의 엄마에게 물었다. 그녀는 그것이 '신나' 냄새라고 했다. 그의 아이들은 차를 탈 때만 맡는 냄새를 그는 일하는 내내 맡아야 했다. 시간이 지나 대학교에 입학한 그의 딸은 유기 화학 실험실에서 인턴을 하게 되었다. 딸은 말통에서 에탄올을 옮겨 담을 때마다 전날 먹지도 않은 술이 목구멍까지 차오르는 느낌에 매번 정신이 아득해졌다. 아침마다 잠깐 맡았던 약품 냄새에도 쉽게 비위가 상해 그녀는 유기화학의 길을 접었다. 그의 무던함을 그의 딸은 물려받지 못한 것일까? 그는 자신의 딸과 다르게 냄새에 민감하지 않은 걸까?

그는 신나 냄새를 한 주는 밤에, 한 주는 낮에 맡으며 일을 했다. 그의 아이들은 '이번 주는 아버지가 새벽 5시에 나가는구나.', '이번 주에는 오후 5시에 일을 하러 가는구나.' 하며 야간과 주간의 의미를 간접적으로나마 알게 되었다. 격주마다 바뀌는 생활 리듬을 잠재우기 위해서 그는 술을 가까이했다. 잠이 들기 어려운 날이면 식사에 소주 한 병을 곁들였다. 반주라고 하기에는 제법 무거운 술상이었지만 소주 7잔 정도는 되어야 자신의 고된 육체를 잠재울 수 있었다. 그의 아이들은 자신들과는 다른, 아버지라는 종족이 존재하여 그들에게 2교대쯤은 그렇게 큰일이 아니라고 생각했다. 자신들은 아침에 5분 일찍 일어나기도 어려우면서, 새벽 5시에 일어나는 그의 고단함을 눈치채기에는 철이 없었다. 시간이 지나 그의 딸은 교대 근무의 실상을 알게 되었다. 그녀는 입사 후 3교대를 하는 동기가 생기 없어진 얼굴로 요즘 심장이 너무 빨리 뛰어서 걱정이라는 말을 듣게 되었다. 그때 그녀는 자신의 아버지를 '아버지'라는 종족이 아닌, 그녀와 같은 '사람'으로 보게 되었다. 그렇지만 사람의 몸으로 어떻게 2교대를 30년 넘게 했는지, 무슨 마음으로 일터에 나갔을지는 짐작이 되지 않았다.

그는 최근 이직을 했다. 이번 연도 자신의 사주에 이동수가 있을 줄은 몰랐다. 그는 지금 다니고 있는 직장이 자신의 마지막 직장이라 생각했다. 은퇴 후에는 자신의 아내와 시골에 내려가 조용히 살려고 했다. 그러나 회사에서 내려진 인원 감축으로 인해 은퇴를 몇 년 앞둔 나이에 이직하게 되었다. 상황이 이렇게 되면 일을 그만둘 법도 한데 현실은 녹록지 않았다. 성한 곳이 없는 몸으로 자신의 노후를 준비해야 했다. 자신의 아버지가 적지 않은 나이에 이직했다는 이야기를 전해 들은 그의 딸은 마음이 심란했다. 집안 사정에 맞지 않는 비싼 학원비를 2년 동안 감당하느라 아직도 노후 준비가 안 된 걸까, 자신이 일찍 취업전선에 뛰어들었다면 상황은 좀 더 나아졌을까 자책하였다. 그녀는 밥벌이에서 자아실현을 외치는 스스로가 너무나도 사치스러워 보였다.

그가 이런 힘든 일을 아직도 하는 건 가족들 때문이었다. 그러나 그의 노고를 알아주는 이는 자신의 아내뿐이었다. 다섯 손가락 깨물어 안 아픈 손가락 없다지만 유독 예뻐했던 그의 딸은 아버지의 사랑에 보답은커녕 차갑기만 했다. 어렸을 때는 자신의 아버지가 생산직이라는 치기 어린 마음이었다면 성인이 된 지금에서도 따뜻한 말 한마디 건네지 못하는 건 무엇 때문일까? 그가 주었던 사랑이 자신이 원했던 종류의 사랑이 아니었음에 대한 어리광일까. 그의 인생에서 느껴지는 고단함은 자신에서 비롯되었다는 죄책감 때문일까. 그가 딸과 처음 만난 나이가 된 그의 딸은 자신이 나이를 먹는 만큼 그도 나이 먹어가고 있다는 걸 알고 있었지만, 수십 년간 움직이지 않았던 입과 발을 움직이기에는 앞으로 많은 시간과 노력이 필요해 보였다. 그녀는 혼자 있는 집 안에서 짙은 신나 냄새가 나는 것 같아 머리가 어지러웠다.

이 소리는 날 그때로 돌아가게 해

삐이이이이–
삐이이이이이이–

날카로운 소리가 고막을 울린다.

삐이이이이이–
삐이이이이이이–

나를 불안하게 만드는 소리는 사무실 전체에 울려 퍼진다. 긴급재난문자가 시간차를 두고 오는 바람에 소리는 돌림 노래처럼 울린다. 신경을 긁는 소리가 들려도 사무실에서는 다들 아무 일 없다는 듯이 제각기 할 일을 한다. 나만 불안해하고 있다. 인수인계를 받는 중이라 옆에 부장님이 있었지만, 알람이 울린 이유를 알고 싶어 양해를 구하고 핸드폰을 손에 들었다.

[기상청] 12월14일17:19 제주 서귀포시 서남서쪽 32km 해역 규모 5.3 지진발생/낙하물로부터 몸 보호, 진동 멈춘 후 야외 대피하며 여진 주의

지진 때문에 울리는 긴급재난문자 알림이었다. 진원지가 제주도였

기 때문에 경기도에 있는 나는 위험할 가능성은 작았지만 계속 불안
했다. 업무에 관해서 설명해 주는 부장님의 목소리에 집중할 수가 없
었다. 그저 의미 없이 '네, 네' 할 뿐이었다. 다 잊은 줄 알았는데 아니
었다.

.

비몽사몽 상태로 오피스에 앉아 있었다. 항상 그랬듯이. 잠을 깨우
려고 의미 없는 클릭 질을 하고 있을 때 일은 벌어졌다. 정전됨과 동시
에 오피스에 있는 모든 책장과 책상들이 흔들렸다. 상황 파악이 빠르
게 되지 않았다. 어리둥절한 상태로 뒤에 앉아 있던 선배를 쳐다봤다.
눈이 마주친 순간 누가 먼저라고 할 것도 없이 우리는 본능적으로 책
상 아래로 들어갔다. 책상 아래에서 마주친 선배의 눈은 나와 마찬가
지로 당혹스러움을 담고 있었다. 책상 아래에 들어가 있는 몇 초 동안
오피스 밖 복도에서는 계단을 내려오는 많은 발소리와 웅성거리는 소
리가 들렸다. 소리가 나는 문 쪽으로 시선을 돌린 우리는 또다시 눈짓
으로 다른 사람들처럼 건물 밖으로 나가자고 신호를 주고받았다. 격한
흔들림으로 제자리를 이탈한 물건들을 헤치고 우리는 긴 오피스 복도
를 내달려 문고리를 돌렸다.

문을 열고 나온 1층 복도는 혼비백산이었다. 어둠 속에서도 계속해
서 계단을 이용해 사람들이 내려오고 있었으며, 건물 밖으로 향하는
문으로 가는 도중에는 누군가 버리고 간 수레가 나뒹굴고 있어 넘어질

뻔했다. 불이 꺼진 복도를 지나 겨우 밖으로 나왔을 때는 이미 건물을 나온 사람들이 한가득이었다. 그사이에 아는 사람이 있나 눈으로 사람들을 훑었다. 할 일을 마친 눈동자가 멈추고 나서 그제야 현실감이 조금씩 돌아오기 시작했다. 이게 무슨 일인가. 어처구니가 없었다. 일본도 아니고 한국에서 책상 밑으로 들어가는 행동을 하게 될 줄은 상상도 못 했다. 너무 어이가 없어서 실소가 삐져나왔다.

이후에 있을지 모르는 피해를 막기 위해 사람들은 학교 입구 쪽에 있는 공터로 향하였다. 공터에서 하릴없이 대기할 수밖에 없었다. 누구의 안내를 따라야 하는 건지, 안내해 주기는 하는 건지 알 수가 없었다. 공터에 서 있는 와중에도 내가 딛고 있는 발아래에서 땅의 진동이 느껴지는 것 같았다. 그때 깨달았다. 자연의 무서움을. 여태까지 겪어 봤던 자연재해인 폭우나 폭설은 언제까지 얼마 정도의 규모로 내릴 건지 예측할 수 있었지만, 지진은 그러지 않았다. 미래를 예측할 수 없었다. 그 점이 나를 무기력하게 만들었다.

그렇게 몇 시간을 대피 장소에 있었을까. 다들 건물로 돌아가는 분위기였다. 그 당시 기숙사에 살았기에 실험실에서 퇴근해도 여진의 피해에서 멀어질 수 없어 보였다. 그래서 접근금지 라인이 설치된 화학관을 뒤로 하고 본가로 당분간 대피해 있기로 했다. 코레일 앱을 켜 좌석을 예매했다. 밤늦게 도착한 포항역은 난리였다. 일부분은 무너져서 천장이 휑했고, 물난리가 났는지 바닥도 엉망진창이었다. KTX를 타고 와중에도 혹시 지진이 일어날까 좌석 등받이에 몸을 편히 기댈 수 없었다.

　수업도 들어야 하고 실험도 해야 했기에 일주일쯤인가 지나서 다시 포항으로 내려왔던 기억이 난다. 다시 실험실에 돌아와서 컴퓨터 앞에 앉아 있으면 예전이라면 느껴지지 않았을 건물의 진동이 느껴지고 심장의 두근거림이 격하게 느껴졌다. 이후로도 크고 작은 여진이 발생해 긴장을 놓칠 수 없었다. 자연은 인간의 시계를 고려하지 않아 낮뿐만 아니라 잠자리에 든 시간에도 찾아왔다. 그러는 바람에 추운 날 잠옷 차림으로 기숙사 밖으로 나간 적이 여러 번이었다. 원래는 답답한 게 싫어 반팔에 반바지를 입고 생활했지만, 지진으로 자던 와중에 정신없이 부랴부랴 나가야 하는 상황을 여러 번 거치면서 나의 잠옷 스타일은 긴팔에 긴바지로 바뀌었다.

　그렇게 잦아들 것 같지 않은 지진도 점차 방문 횟수가 줄어들어 기억 속에도 지진은 잊혀갔다. 나의 불안 증세도 없어지고 지진이 일어났던 게 꿈만 같은 정도였다. 그러나 4년이나 지난 지금, 진동이 아니라 경보 소리만 들려도 그때를 떠올리며 두려워하는 사람일 뿐이었다.

·

　불안한 마음에 부장님의 소리가 단어로 쪼개져서 들린다. 단어들 사이에 연관성을 알 수 없다. 일단 눈앞에 보이는 공책에 뭐라도 적으려고 노력한다. 심장은 이런 내 심정도 모르고 미친 듯이 뛰기 시작한다.

심장이 입 밖으로 튀어나올 것만 같다. 심장이 너무 뛰어서 내 몸 전체가 흔들리고 있다는 느낌을 받는다. 무서워서 몸을 떨고 있는 걸까. 내 몸의 진동이 눈에 보인다. 마음을 진정시키기 위해 마스크 아래로 큰 숨을 들이마시고 내쉰다. 옆자리 부장님께 들키지 않게 조용히 천천히 호흡한다. 들이쉬고 내쉬고. 들이쉬고 내쉬고. 그때 누군가의 목소리가 사무실 전체에 울린다.

"삐이이이- 이거 누가 입으로 내는 소리 아니야?"

사무실 전체에 긴 시간 동안 울려 퍼지는 경보음이 현실감이 없었는지, 농담으로 던진 한마디였다. 그 말에 주변 사람들은 하하하 웃는다. 사람들은 알까. 자신들은 농담으로 치부할 수 있는 경보음으로 나는 지금 떨고 있다는걸. 나도 그 사람들처럼 넘겨버리고만 싶었다. 갑자기 불 꺼진 오피스에 혼자 덩그러니 남겨진 기분이었다.

숨이 차거나 슬픔이 차오르거나

나의 일상은 숨이 차거나 슬픔이 차오르는 일의 반복이었다. 문득 정신을 차려보면 빠르게 뛰는 심장의 고동과 박자에 맞춰 오르내리는 전신이 느껴졌다. 왜 이리 호흡이 급한 건지 생각하다 보면 턱 끝까지 차올랐던 숨은 서서히 어깨, 가슴께를 지나 천천히 아래로 가라앉는다. 가빠진 호흡이 지나간 자리에는 언제나 슬픔이 뒤따라왔다. 처음에는 당황스러웠다. 아무리 생각해도 슬플 일은 없는데. 내가 느끼고 있는 게 슬픔이 맞을까? 의문에 대한 답보다 몸의 반응이 더 빨랐다. 눈을 한 번 깜빡였을 뿐인데 턱선 아래가 축축해진다. 나는 울고 있다. 눈물을 보니 울고 싶었다. 우는 걸 보니 슬픈 게 맞다. 어느 날에는 혼자 있는데도 입술과 치아에 힘을 주어 소리를 삼켜가며 울었고, 다른 날에는 토해내듯이 가슴을 치며 울부짖었다. 휴지를 한 장도 쓰지 않는 날에는 오히려 엉망이 되었다. 슬픔은 몸 밖으로 나오면 눈물이 되지만 분출되지 못하면 속에서 서서히 엉겨 붙다 이내 굳어버려 손가락 하나 까딱 못 하게 몸을 무겁게 했다. 울고 나면 한동안 괜찮았다. 지난밤 운 적 없는 사람처럼 다른 사람들 틈에서 아무렇지 않게 살아갈 수 있었다.

호흡도 안정적이고 울지도 않는 순간이 찾아오면 그제야 하나씩 짚어볼 여유가 생겼다. 왜 그랬을까. 하지만 너무나도 평화로운 현재 상황에 내가 그랬던 적이 있나 의심스러울 지경이었다. 먼 과거의 일처럼, 심지어 남의 일처럼 느껴져 집중하기 어려웠다. 기억을 되짚고 마음속을 뒤집어봐도 이유를 모르겠다. 하지만 이런 일이 계속해서 생기겠다는 예감이 들었다. 원인도 해결책도 몰라 견딜 수 없는 내가 할 수 있는 일이라고는 바쁘게 바쁘게 내 심장처럼 몸을 움직이고, 일부러 부정적으로 생각하는 것이었다. 얼마 없는 친구들과 약속을 잡고 만날 사람이 없으면 혼자라도 할 수 있는 활동을 찾아 인터넷을 떠돌았다. 그러다가 빈 시간을 채울 수 없으면 꼬리에 꼬리를 무는 생각이 머릿속에서 끊임없이 윙윙거렸다. 지쳐 버려 슬픔에 모든 걸 내던지면 그 끝에는 공허가 찾아왔다. 공허는 추위를 데리고 왔다. 뼈와 살로 이루어진 몸에 바람이 드는 듯 같았다. 특히 가슴에 구멍이 난 것처럼 시렸다.

참을 수 없는 공허함은 나이를 먹어갈수록 심해졌다. 있지도 않는 그 구멍이 커지는 걸 느꼈다. 구멍을 만진다면 가장자리부터 바스러져 빈 곳이 더 커지겠지. 조금씩 자라는 구멍이 진짜로 존재할까 봐 더 빨리 커질까 봐 구멍으로 통과하는 거센 바람을 그대로 둘 수밖에 없었다. 눈물에 가라앉는 게 먼저일지 구멍이 점점 커져서 결국에는 사라지는 게 먼저일지 궁금했다.

원인을 알아내려 하기보다는 구멍을 메우려고 노력했다. 많은 사람이 택하는 뭔가 있어 보이는 길을 따라갔다. 생각 없이 행동하기는 쉬웠다. 그러나 나를 채울 수 있는 어느 것 하나 찾지 못했다. 지나온 길에 생겨난 성적, 포스터, 논문, 보고서, 학벌, 학력, 명함. 영혼 없는 빈 껍데기들이었다. 의미를 찾을 수가 없었다. 프린트에 쓰인 잉크와 종이가 아까웠고, 정보 저장에 쓰인 전기도 아까웠다. 결과물에 따라온 칭찬도 모두 덧없었다. 불안감이 떠오를 때 성과들이 안정감을 준 건 사실이지만 그건 포근한 안락함보다는 의식주를 걱정하지 않아도 된다는 안전함에 가까웠다. 그러면 나는 무탈함에 만족하면서 살아가야 할까.

깨달음을 얻는 순간은 갑자기 찾아온다고 했던가. 어느 것도 내 것이라고 느껴지지 않는 무용한 날들 속에서 댄서들의 무대를 마주하게 되었다. 채널을 돌리다 보게 된 '스트릿 우먼 파이터'에서 춤 실력보다 더 눈에 들어온 건 그들의 의미 있는 몸짓과 자유로움이었다. 몇십초 간 이어진 영상에서 그들이 성대의 진동이 아니라 다른 방식의 목소리를 택했음을 깨달았다. 몸짓이 언어가 되는 순간을 멍하니 지켜봤다. 그들만의 방법으로 세상을 향해 자신에 대해 말하고 있는데 나는 언제 목소리를 냈는가. 여태 내 입에서 나온 소리가 나를 대변한다고 말할 수 있을까. 한 번도 나를 보인 적 없는 시간이 허무함을 만들고 있었다. 이제껏 나는 침묵의 삶을 살았었다.

몸짓으로 그들의 이야기가 시작됐다면 활자로 나의 이야기를 시작했다. 그들에게 춤이 있었다면 나에게는 글이 있었다. 글은 하나도 덧없지 않았다. 글이 별이가 되거나 하다못해 인기가 있는 것도 아니지만 객관적으로 환산할 수 없는 가치가 있었다. 글이 내가 될 수는 없지만 내가 써온 글은 나의 일부였다. 제일 나를 닮은 결과물이었고 글을 쓸 때 제일 나다웠다. 타인과 연결되어 있다고 느꼈고 이해받을 수 있다는 기대를 하게 되었다. 이런 모든 의미를 인지하기 전에 이미 글을 쓰고 있었고 글을 쓴다는 게 이제는 당연한 일이 되었다. 섬세하지만 부담스럽지 않은, 진솔하지만 담백한 글이 쓰이길 바라며 계속해서 키보드 앞에 앉았다.

글을 쓰고 나서 숨 가쁨과 슬픔, 공허함이 사라졌냐고 묻는다면 그건 아니다. 글쓰기는 구원이 아니다. 그저 나의 일상에 변화가 생겼을 뿐이다. 숨이 차거나 슬픔이 찾아오거나 혹은

글을 쓰거나.

나의 시간이 글을 향해 흘러간다. 글을 쓰는 동안 힘들고 쓰지 않는 날은 괴롭다. 그럼에도 글을 통해서 앞으로 나아가고 싶다. 계속해서 쓰는 사람이고 되고 싶다. 멈추지 않고 이야기하고 싶다. 글을 썼던 사람, 써봤던 사람이 아니라 글을 쓰고 있는 사람. 앞으로도 쓸 사람이 되고 싶다.

이상한 약국

박제

박제　글 쓰기는 약사이며, 예쁜 딸아이의 아버지. 어렸을때부터 책 읽는 것을 좋아해서
자연스럽게 글 쓰는 것도 좋아하게 되었다. 고려대학교에 입학한 뒤, 경희대학교
약학과를 졸업하였고, 중앙대학교 약학대학원에 석사과정을 이수하였다. 약사로
서는 약국과 병원에 근무하며 다양한 사람들과 만나고 상담하며 경험을 쌓았다. 현
재는 제약회사에서 일하며 다양한 활동에서 얻은 경험을 바탕으로 누구나 공감하
고 즐거워할 수 있는 행복한 글을 쓰려고 하고 있다.

brunch: http://brunch.co.kr/@722167264f1b4a9

blog: https://blog.naver.com/mps36162

부모가 되기 위해 필요한 약

사람이 사는 곳은 다 비슷하다. 크게 특별한 곳은 없다. 특별해 보이는 건 SNS에만 있을 뿐이다. 돈을 많이 벌든 적게 벌든 고민은 어디서든 존재한다. 그 밀도가 다를 뿐이다. 색이 다를 뿐이다.동네 가장 번화가인 지하철역 근처 작은 시장에 위치한 약국도 마찬가지다. 약을 조제하고 약을 사고파는 공간인 약국이지만 여기서도 누군가의 고민이 존재한다.

아픈 아이의 재롱에 환하게 웃고 있는 엄마 아빠, 개구쟁이 귀여운 아기들, 손자·손녀 손잡고 병원 데리고 온 할머니. 사고 치는 아기 단속하느라 인상 찡그리는 엄마, 아픈지 서러운지 찡찡대는 아기들. 1년 동안 약국에서 일하면서 재원 약사가 느낀 약국에 드나드는 사람들의 모습이었다. 재원이 주말에 일하는 약국은 동네 작은 시장 근처에 자리 잡고 있다. 하얀 외벽에 파란 간판이 세련됐다. 깔끔한 외관 유리창에는 각종 약의 포스터들이 붙어 있다. 사람들이 드나들 때마다 자동문이 열릴 때마다 드르륵 하는 마찰 소리가 시원했다. 약국의 차가운 에어컨 공기가 빠졌다 다시 갇혔다.

화창한 주말 야외 활동 하기 딱 좋은 날씨였다. 예상대로 아이와 함께 놀러 가기 전 약국 옆 소아과에 들른 후 처방 약을 받아 가려는 가족들로 북적였다. 확실히 요즘에는 아이가 한 명인 집이 많다. 귀엽고 고급스러워 보이는 옷에 보기에도 명품 유모차가 눈에 띈다. 문이 열리는 소리와 함께 외출 옷차림의 한 가족이 들어왔다.

약국에 왔으면 분명 어딘가 아파서 왔을 텐데 엄마 아빠와 외출이 즐거운 건지, 안겨 있는 아기는 즐거워 보였다.

"감기약 3일 치 받으셨어요. 가루약과 시럽 나왔고 항생제는 냉장 보관하셔야 해요. 이 항생제는 사용해 보셨죠? 모두 같이 아침, 점심, 저녁으로 하루 세 번 규칙적으로 먹여야 합니다."

약을 주고 복약지도를 하는 동안 내 얼굴을 쳐다보며 물끄러미 바라보는 아이. 대략 3~4살 됐으려나, 아이들 나이는 정확하게 알기 어렵다. 절로 미소가 번졌다.

"할 말 있니?" 의아해하며 아이에게 물어봤다.

계산하시던 약국 보조 선생님이 자연스레 국민 캐릭터인 뽀로로가 새겨진 사탕을 꺼냈다.

"이거 찾는 거지?"

엄마가 얼른 받았다. "고맙습니다, 해야지."

아이는 약국 온 이래 가장 기쁜 표정으로 얼른 챙겨서 호주머니에 쑤셔놓고, 돌아섰다. 오늘 약국에 온 가장 큰 목적을 달성한 듯, 뒤도 안 돌아봤다.

"주원아, 고맙습니다. 해야지." 엄마는 멋쩍은 듯 바라봤다.

"괜찮아요. 아프지 말고 얼른 나아!"

웃는 아이들의 얼굴은 너무 귀여웠다. 내 아이가 아니지만, 너무 사랑스럽다.

소아과 옆 약국이라 그런지 약국에서 가장 먼저 들리는 소리는 아이들의 목소리였다. 아이들은 때로는 무서워 울고, 때로는 걱정 없이 웃는 소리를 냈다. 재원은 그 소리를 들을 때마다 무심코 미소를 짓곤 했다. 오늘도 어떤 아이들이 찾아올지 궁금해졌다.

재원은 아이를 사랑하는 사람이라고 스스로 느낀다. 소아과 약국에서 일하는 것을 일부러 선택하진 않았지만, 약국에서 일하는 건 힘든 와중에도 소소한 행복이 있다.

'다른 아이들도 이렇게 귀여운데, 만약 내 아이가 생긴다면 얼마나 잘해 줄까.' 재원은 속으로 생각해 봤다.

내 아이에 대해 생각 하다 보니 자연스럽게 떠올랐다. 최근 아내와 있었던 대화가 다시 생각나면서 눈썹이 살짝 찌푸려진다. 약간 피곤해졌다.

아기를 낳기로 부부가 시도 한지도 벌써 일 년 가까이 되었다. 재작년 유산한 이후 다시 임신을 시도 한지도 말이다. 한번 안 좋은 일이 있고 나서인지 예민해진 것 같다. 몇 번 실패하고 나서, 올해 봄부터는 시험관 아기를 시도 하고 있다. 호르몬 주사부터 쉬운 건 하나도 없었지만 배아 이식 후 실패하고 나니 실망감이 컸다. 갖고 싶은 마음도 슬슬 지쳐가고 심지어 요즘엔 누구 잘못이냐 하고 괜히 서로 마음에 상처를 주고 있다.

지난번 시도에도 그랬었다. 이번에는 느낌이 좋아서 부부는 둘 다 기대했었다. 치킨 배달로 불금을 보낸 후 경건한 마음으로 기다렸다. 날씨도 선선하니 분위기가 뭔 좋았다. 떨리는 마음으로 임신진단 테스트기를 사용했었다. 아무리 기다려도 뜨지 않은 날카로운 빨간 선, 코로나 진단 키트와는 다르게 쉽게 나올 기미가 없다. 출발조차 못 하게 출발선이 등장하지 않았다. 기대가 컸던 탓일까 실망도 컸다.

"어휴" 기대로 가득 찬 예쁜 얼굴에서 한숨이 흘러나오고 괜스레 가슴이 조여왔다. 괜히 웃어 보지만 분위기는 무거워졌다. 잘되겠지, 하고 웃고 기뻐하던 것도 한두 번이지, 이제는 정말 아기가 갖고 싶었다. 시험관 아기의 성공을 바라며 조사해 봤는데, 배아의 질이 좋거나 여성의 나이가 적을수록 성공 가능성이 높다는 글을 봐서였을까? 머릿속 서랍 가장 안쪽에 모셔두었던 나이에 대한 걱정이 고개를 쳐들었다.

"우리가 나이가 좀 많아서 그런 걸까?" 무의식적으로 목소리가 튀어나왔다.

"음…." 아내가 아랫입술을 깨물었다. 듣기 싫은 말을 들었을 때 습관이다.

"지금 그 말은 내가 나이 들어서 실패했다는 소리야?"

재원은 아차 싶었다. "아! 미안…. 그런 의도는 아니었는데, 내가 오해할 만한 말 했어."

평소라면 사실 아내가 이렇게 반응하진 않았을 것이다. 그러나 지금은 타이밍이 너무 안 좋았다.

"기분도 안 좋은데 지금 꼭 그 이야기를 해야겠어." 날이 선 목소리가 들려왔다.

"어휴…. 내가 조금 격해졌나 보다. 우리가 좀 늦긴 했지만, 우리보다 더 나이 많은 부부도 임신 잘만 하더라" 아내는 깊은 한숨과 함께 말을 이었다.

"맞아. 아직 우리 몇 번 시도 안 했으니까, 다음엔 반드시 잘될 거야. 힘내보자!" 재원은 겸연쩍어하며 바닥을 바라봤다.

"그래 우리 드라마나 보자." 우리는 아무렇지 않은 듯 평소 좋아하는 드라마를 다시 조용히 시청했다. 에어컨 바람이 그날따라 춥게 느껴졌었다.

지난주의 일을 떠올리며 재원은 입맛을 다셨다. 부부 둘 다 나이가 있다 보니 요즘 부쩍 주변에서 아이가 있어야 하지 않겠냐며 잔소리와 간섭을 한다. 그래서 요즘 서로 더욱 날카로워졌나 보다.

재원은 평일에 제약회사를 다니며, 토요일은 약사로 약국에서 일하고 있다. 평일에는 9시에 출근해 6시에 퇴근하는 회사원이지만, 토요일엔 시장 인근의 동네 약국에서 약사로 일하는 중이었다. 비록 일주일에 하루 약사로 일하지만 일을 할 수 있음에 감사함을 느끼고 최선을 다하고 있다.

근처 병원 중 소아과가 있어, 아픈 아이들과 아이들의 부모들을 대하는 경우가 많았다. 평일에 상사의 잔소리와 업무 압박감에 시달리는 재원에겐 토요일 하루라도 사무실에 출근 안 하고 아이들 얼굴 보는 일이 힐링이었다. 육체적으로 힘들어도 괜히 행복해지는 느낌이었다. 아이들의 해맑은 얼굴을 보면 가슴에 차곡차곡 쌓여있던 뭔가가 녹아내리는 기분이었다. 그래서 요즘엔 돈을 벌러 가면서도 설레는 마음으로 약국에 오고 있다. 약국에 오는 아이들이 건강해지도록 최선을 다하고 싶었다. 약국에 도착해서 약사 가운을 입을 때마다 굳건한 사명감이 차오른다.

오전에는 무척 바빴다. 이른 아침 일찍 소아과에 방문하고 주말 내내 아이와 놀아주는 계획이 있는 가족들이 많았다. 시간이 정신 없이 지나갔다. 의사 처방에 따라 정확하게 조제했는지 두세 번 확인하고, 자세하게 복약지도 했다.

아무래도 아이가 먹을 약이라 그런지 부모들이 꼼꼼하다. 복용하는 방법, 횟수, 복용량 등에 궁금한 것이 있을 때마다 꼼꼼히 확인한다. 오히려 이렇게 깐깐하게 확인하면 좋은 환자다. 약국에 오시는 분들은 기나긴 병원의 진료 시간을 견디고 마지막 관문만 남긴 사람들로 얼른 마지막 관문을 통과하고 쉬고 싶은 마음이 인지상정이다. 그래서인지 약의 복용에 관해 설명할 때면 듣는 둥 마는 둥 건성이 대부분이다. 몸은 이미 출입구 쪽으로 향해 있고, 시선은 공허하다. 분명히 건강과 관련된 중요한 사항인데, 집중을 안 하는 경우가 많다. 집에 가서 약 복용을 잘못할지 걱정이 돼서 길게 여러 번 반복해서 설명하게 되면, 말도 많아지고 복약지도 하고 약을 전달 하는 시간도 길어졌다.

설명을 분명히 했는데도, 다시 약국에 전화하거나 찾아와서 물어보는 일도 종종 있다. 심지어는 왜 알려주지 않았냐고 따지는 사람들도 있다. 분명 약국의 CCTV를 돌려보면 제대로 이유가 확인되겠지만 약국에서는 크게 일 만들지 않으려고 간단한 카페인 음료와 함께 술술 넘어가기 마련이다.

그래서인지 오히려 학부모들이 반갑다. 작은 정보라도 놓치지 않으려고 귀 기울이려는 모습이 보인다. 내가 아픈 게 아닌 아이들이 아픈 것이 더 신경 쓰이는 게 부모 마음일 듯하다. 아직 부모가 되지 못해 짐작만 할 뿐이었다.

평일 퇴근하고 저녁 시간이었다. 도란도란 식탁에 앉아 밥을 먹는데, 집중 안 하면 놓쳤을 만한 크기의 가벼운 소리가 들렸다.

"자기는 딩크족 어떻게 생각해?"

고개를 들어 의아한 표정으로 쳐다봤다.

"아니 요즘 워낙 출산율도 낮고, 안 가지려 하는 부부도 많잖아, 아기 키우기도 힘들고…." 아내의 대답을 듣고 잠시 고민했다. "나는 음 우리 둘도 괜찮은데, 아기를 한번 키워보고 싶기도 해. 또 다른 행복감도 있을 것 같고….” 재원은 말끝을 흐렸다.

아내는 공허한 눈빛으로 동의했다. “맞아, 얼른 생기면 좋겠다.”

밝게 웃는 모습이 오히려 슬퍼 보였다. 점점 시간이 지나니까 괜히 불안감이 생기는 것 같았다. 뭔가 마음이 시원치 않았다. 요즘은 임신이 스트레스로 다가오고 있는 것 같다. 아내도 표현은 잘 안 하지만 많이 신경 쓰는 것 같았다. 노력으로 해결 안 되고 운으로 결정될 수밖에 없는 일이 잘 안됐을 때 무력감에 빠지게 한다.

귀여운 아이들과 관심 많은 학부모 사이에서 동분서주 하다 보니 점심시간도 지났다. 저녁 약속 장소를 슬슬 알아봐야겠다고 생각했다. 출근 전에 기분 전환하려고 저녁에 데이트 하자고 말하고 왔다. 임신 실패 때문에 우울한 것도 있고, 마침 날도 좋아서 맘먹고 분위기 좋은 레스토랑에 가기로 했다.

중학교 아이에게 해열제를 전달하고, 충전하고 있는 스마트폰을 봤다. 아내와 커플로 맞춘 스마트폰 케이스가 유독 귀엽다. 카카오톡 메시지가 20분 전에 와 있었다.

‘이제 출발할 게 조금 이따 봐.’

퇴근 시간이 얼마 안 남았다. 약국이 조금 여유로워지자, 카운터에 계신 선생님이 얘기를 거셨다.

“이 약사님, 올해 나이가 어떻게 되시죠?”

“저요? 몇으로 보이시나요? 30 중반은 넘었습니다.”

선생님이 말씀을 이어 가셨다. “이런 거 물어봤는지 모르겠네요. 결혼하셨죠?"

"네 3년 전쯤 했네요. 벌써 시간이 많이 흘렀네요."

"어이구 결혼한 지 좀 되셨구나. 그럼, 아기는 있으세요?"

잠깐 멈칫했다. 너무 개인적인 얘기 아닌가 싶다가 그냥 물어보셨겠지, 생각했다. 그래도 요즘에 고민하는 일이 있어서 그런지, 그냥 대답하기 싫었다.

"예, 뭐….."

"없으세요? 아직 신혼이구먼. 한창 좋을 때겠어요."

"네, 그렇죠. 뭐."

"요즘에 다들 아기 안 낳는다 해서 걱정이네요. 아기가 얼마나 예쁜데, 요즘 말하는 딩크족은 아니죠?" 지난번 아내가 말한 딩크족이 생각났다.

"네, 아니에요. 아기 가져야죠." 예민하게 들리긴 했지만, 괜히 사이를 망치기도 싫었고, 어색해지기도 싫어서 적당히 대답했다.

'결혼했다고 꼭 아기를 낳아야 하는 것도 아니고, 늦게 낳을 수도 있지 않은가요. 안 가지려고 한 것도 아니고 갖고 싶은데.'

머릿속에 하고 싶은 말이 많았지만, 목에서 끄집어내지는 않았다. 얘기가 더 길어질까 봐 슬쩍 자리를 피하고 싶었다, 꺼림직한 내 표정이 눈에 띄었나, 약국 카운터의 분위기가 어색해졌다. 더 이상 얘기 안 하시는 걸 보니, 같이 일하시는 선생님도 예의 없게 선을 넘으시는 분은 아닌 듯했다. 정말 별 의도 없이 순수하게 물어보신 것 같다. 괜히 마음에 찔려 대화를 더 이어 나갈까 하다가 말았다. 새로운 손님이 약국에 와서 이야기는 끊겼다.

'어쩔 수 없지.'

내가 꼬여 있는지도 모른다. 하지만 최근에 주변에 부모님부터 친하게 지내던 친척분들에게 까지 아이에 대한 질문을 많이 듣고 있다. 나름대로 기대가 있으셨나 보다. 당연하다는 듯이 묻는 말에 목에 걸린 생선 가시처럼 쓰린 스트레스를 받는다. 아내가 오는 시간이 얼마 안 남았다. 아내가 좋아하는 초밥집 후보를 몇 군데를 찾아보며 핸드폰만 만지작거렸다.

슬슬 정리를 하려고 오늘 받아둔 처방전을 정리하고 약국 재고를 확인하여 다음 주를 위해 추가 주문이 필요한 약들의 목록을 확인했다. 옆에 병원들은 진작에 문을 닫았고, 일반의약품을 사러 약국에 오는 사람들을 응대하고 있었다. 지하철역 근처의 약국이라 일반의약품을 사러 오는 환자들도 꽤 많다. 보통 병원이 문 닫고 나서도 1시간에서 2시간 정도 문을 열어 둔다. 이때는 보조 선생님은 먼저 퇴근하신다.

"몸살감기 증상 있으시니까, 이 종합감기약을 2알씩 하루에 세 번, 한방약 한 포와 함께 드시면 됩니다."

감기약 사러 온 환자분 응대하고 마저 약품장 정리를 하고 있을 때였다. 약국 문 여는 소리가 살짝 들리자, 고개를 들었다. 문이 열릴 때면 본능적으로 확인하는 습관이 있었다. 발자국 소리는 급하고 가벼웠다. 어스름한 저녁 공기와 함께 약국 안으로 오는 사람은 어리고 지친 여성이었다. 엄마는 아기띠에 아이를 안고 중앙에서 망설이는 듯 주위를 둘러보고 있었다. 약국은 그리 크지 않아서 카운터에서 조금만 자리를 이동하면 충분히 환자를 볼 수 있었다. 소아과 근처 약국이라 이런 아이 엄마들이 익숙했다.

'아이가 어디가 안 좋은가 보네.'

조심스럽게 말을 걸었다. "무슨 문제 있으신가요?"

아이를 안은 여성은 다급한 표정으로 숨을 몰아쉬었다.

"선생님 안녕하세요. 옆에 소아과가 문 닫아서 그런데, 혹시 바쁘세요?"

"아니요. 괜찮아요. 말씀하세요."

"저희 아이가 기운도 하나도 없고, 열이 많이 나서요. 몇 시간 전에 해열제 먹이긴 했는데 열이 안 내려가네요" 그녀의 목소리에는 불안이 묻어 있었다. 약국 근처에 사는 어린 엄마였다. 약국에 올 때 어린 나이에도 육아한다고 해서 대단하다고 생각했던 아이 엄마였다. 어떤 상황인지 빠르게 파악되었다.

"무슨 해열제 드셨어요?"

"여기 약국에서 사 간 타이레놀이요." 기본적인 해열제를 먹은 것 같았다.

"그럼, 추가로 다른 해열제를 한번 줘보시겠어요? 아이가 몇 살 이에요?"

"10개월이에요. 괜찮을까요? 제가 뭔가 잘못하고 있는 건 아닌가 해서 걱정이 돼요."

소아과에 오는 아이 엄마들은 언제나 이런 걱정을 안고 있다. 특히 처음 아이를 키우는 경우는 더 그랬다. 재원 약사는 예전에 약국장님이 이런 상황에서 했던 방법을 떠올렸다.

"괜찮아요. 이런 상황이면 누구나 불안할 수 있어요."

아기는 여전히 엄마에게 꼭 안겨 있다. 재원은 추가로 덱시부프로펜 계열의 해열제를 꺼내 그녀에게 건넸다.

"우선 열을 한번 내려보죠. 응급실엔 그 이후에 가보는 것도 좋은 방법이에요. 너무 어린 아기는 응급실에서 이것저것 검사하거든요. 그게 더 아이에게 안 좋을 수도 있어요." 아무래도 걱정하고 있을 그녀를 위해 차분히 설명했다.

아이 엄마는 자세를 잡고 아이에게 해열제를 먹이려는데 쉽지 않았다. 도와주려 아이를 보고 있는데 갑자기 익숙한 목소리가 들려왔다.

"괜찮으세요?"아내의 따뜻한 목소리가 들려왔다.

먼저 아내는 아기가 약을 잘 먹을 수 있게 아이 엄마를 지탱해 줬다. 목소리가 반가웠다. 알게 모르게 당황했었나 보다 아내의 믿음직한 목소리에 마음이 안정됐다.

아내는 엄마의 등을 두드리며, 말했다. "안녕하세요."

일단 엄마를 진정시키는 게 우선이었다. 엄마가 침착해야 아기를 잘 볼 수 있다. 아내는 역시 현명한 사람이다. 아내와 눈을 마주쳤다.

"제 와이프예요. 그리고 열을 식히는데, 물에 적신 거즈로 몸을 닦아주면 큰 도움이 될 거예요. 해열제보다 더 효과가 좋을 때도 있더라고요."

그녀는 다 먹인 해열제를 손에 들고 잠시 우리를 멍하니 바라보다가 고개를 끄덕였다.

아이는 힘이 드는지 아기띠 위에 앉아서 엄마 품에 안겨 있었다.

"이쪽 안쪽에 공간이 있어요. 물과 거즈를 드릴 테니, 아기띠를 벗고 아기를 앉힌 다음에 옷을 벗기고 열을 식혀보세요."

재원은 약을 보관해 두는 약국 안 공간으로 그녀를 안내했다. 엄마는 아이를 앉히려 했으나, 아이는 낯선 공간에 있어 그런지 엄마에게 떨어지려 하지 않았다. 아기띠만 내려놓고 힙시트만으로 아이를 받쳐두었다.

"아가야 엄마 무거운데." 재원은 옆에서 엄마를 도와주려 했으나, 아기는 엄마에게 더욱 깊게 안겼다. 엄마와 한 몸이 되려고 하는 것 같았다.

"괜찮아요. 이대로 안아서 해볼게요." 옆에서 엄마가 아이 옷 벗기는 것만 도와주고 밖으로 나왔다.

아이 엄마는 거즈를 물에 적셔 아이를 닦아주기 시작했다. 거즈로 아이 몸을 닦는 엄마의 손길은 부드럽고 조심스러웠다. 마치 자신의 열이 아이에게 전달될까 봐 두려워하는 듯했다. 약국의 손님이 많이 없어서 할 일이 없기도 했지만, 아이 엄마의 모습에 눈을 뗄 수 없었다. 아내도 그런 듯했다. 약국 운영 시간은 이미 지났지만 아이 엄마를 위해서라도 문은 열어두기로 했다. 아내도 이해해 주고 한쪽에서 같이 기다려줬다.

10분 20분 시간은 조금씩 흘러갔다. 지칠 법도 한데 잠시도 쉬지 않고, 물이 뚝뚝 떨어지는 거즈를 들며 조심스레 아이의 몸을 닦아 냈다. 아직도 아이는 힙시트 위에서 엄마에게 안겨 있었다. 앉은 상태에서 아이를 닦는 건 쉬워 보이지 않았다. 허리도 아프고 온 몸에 힘이 들 것 같았다. 힘든 기색이 역력해 보였다. 아이 엄마의 정성을 다하는 모습은 혹시나 기적적으로 아이의 열이 내려갈까 손에 기원을 담는 것 같았다.

아이 엄마의 모습을 보면서 재원은 그저 당연한 일로 여겼던 아이와 엄마의 모습이 부모와 자식 간의 사랑이 절절히 담긴 순간이라는 것을 새삼 느꼈다. 처음에는 그저 도움을 받으러 약국에 온 한 명의 손님일 뿐이었지만, 시간이 흐를수록 얼마나 용감하고 헌신적인 엄마인지, 부모라는 존재가 아이를 어떤 마음으로 돌보는지 피부로 느낄 수 있었다.

30분이 지났다. 약의 효과인지 엄마의 정성 때문인지 열이 조금씩 떨어지기 시작했다. 아이 엄마는 너무 기뻐하며 눈에 눈물이 그렁그렁했다. 눈가에 피로와 긴장이 풀리면서도 걱정이 어려 있었다.

"약사님 아기 열이 떨어지고 있는 것 같아요. 감사합니다"

아이는 기운이 나는지, 이제 약국이 익숙해졌는지, 생글생글 웃고 있었다. 너무 사랑스러웠다.

"정말 대단하세요. 고생하셨어요. 그래도 아이가 열이 떨어져서 다행이에요."

내내 아이를 돌보는 모습을 지켜 봤었다. 약국 한쪽 의자에 앉아서 멍하니 쳐다 봤었다.

사실 오늘 아내와 저녁 먹으면서 딩크족에 대해 한번 얘기해 보기로 했다. 그동안 조금씩 아이 갖기를 포기하는 쪽으로 기울었었다. 자신도 모르게 아이에 대한 꿈을 접어두었다고 생각했다. 현명하고 사랑스러운 아내와 안정적인 생활에 만족하려고 애썼다. 그런데 오늘 정성스레 아이를 돌보는 엄마의 모습을 보며 다시금 아이에 대한 갈망이 생기기 시작했다. 아기를 안고, 작은 등과 손발을 쓰다듬으며, 아이의 열을 식히려는 엄마의 모습, 그 안에 있는 헌신적인 사랑을 지켜보는 마음속에서는 감동이 일렁였다. 한 생명을 위해 헌신적인 노력을 하는 부모의 모습이 얼마나 위대한지를 깨닫는 순간이었다.

'나도 이런 부모가 될 수 있을까?' 그동안 아이를 갖지 못하고 있다는 좌절감에 사로잡혀 있었다. 그러나 부모가 된다는 건 단순히 생명을 잉태하는 것이 아니라, 이렇게 한 생명을 돌보고 사랑하는 과정이라는 걸 다시 한번 깨달았다.

아이와 함께 약국을 나서는 그녀를 보면서 재원은 결심이 확실히 서는 것을 느꼈다. 갑자기 왜 이렇게 쉽게 포기했는지 의문이 들었다. 아직 끝난 게 아니었다. 자기 삶 속에서 진정으로 갈망하는 것이 무엇인지 다시 한번 깨달았다.

"정말 대단하세요." 마지막으로 그녀에게 건넨 말은 자기 자신에게 하는 말처럼 들렸다. 그 순간, 아내와 다시 한번 용기를 내어보자고 얘기 하기로 결심했다. 힘들고 시간이 걸릴지라도 포기하지 않겠다고 다짐했다.

재원은 약국을 정리하면서 마음속이 단단해지는 것을 느꼈다. 오늘 느낀 감정을 아내에게 솔직히 얘기해야겠다. 결국 우리가 꿈꾸는 부모로서의 삶을 이룰 수 있을 거라는 믿음이 강하게 들었다. 재원은 오늘 밤의 작은 사건이 삶에 새로운 전환점이 될 것 같은 느낌이 들었다.

딸이 되기 위해 필요한 약

월요일 오후, 수연은 병원에 들렀다 조금 일찍 약국으로 출근했다. 긴 머리를 묶고 흰 가운을 걸치고 칼, 펜 몇 가지를 앞주머니에 꽂았다. 매일 같이하는 일인데, 유달리 힘이 없다. 지난 주말 재원 약사의 전달 사항을 컴퓨터로 확인하며, 근무 준비를 시작했다. 월요일은 약국에서 가장 바쁜 날로 마음 준비를 단단히 해야 했다. 약국 근처의 소아과와 내과에서 나오는 처방전을 처리하려면 쉴 틈 없이 움직여야만 했다.

준비를 마치고 카운터로 이동하는 수연에게 아까부터 약국 한쪽에 앉아 있던 할머니 한 분이 다가와 조심스럽게 얘기하셨다. 이제 막 점심시간이 끝나는 시간이라 환자가 할머니와 아기 엄마뿐이었지만, 누가 들을세라 할머니는 작은 목소리로 얘기하셨다.

"저 선생님 저 아랫부분이 가려운데 어쩌죠?" 할머니는 매우 조심스러우셨다. 물어보는 게 잘못되는 것처럼 조심스럽게 물어봤다.

"아, 질염인 거 같아요." 약국에서는 흔히 보는 환자라 가볍게 얘기 했었는데, 할머니가 다급하게 말하셨다.

"내가 안 씻거나 그래서 그런 게 아니고, 매일 씻는데…." 할머니는 주저하며 말을 이어 나가셨다.

"그리고 그 성관계 같은 거 상관없거든. 난 아니라서"

사실 질염은 여성이라면 누구나 걸릴 수 있는 질환이었다. 보통 간 지럽다는 증상이 주고, 면역이 약해지거나, 폐경 또는 항생제 사용 등 으로 쉽게 걸릴 수 있다. 이는 피곤하면 걸릴 수 있는 질환으로 성관계 와는 무관하다. 수연은 할머니에게 천천히 설명해 줬고, 할머니는 그 제야 안심했다. 처음 간지럽다고 느꼈을 때 주변에서 안 좋게 보는 시 선으로 대해서 집에서 그냥 씻기만 하고 참으셨다고 했다. 칸디다 질 염은 씻으면 간지러움이 배가 돼서 더 안 좋다. 수연은 할머니가 얼마 나 고생하셨을까 생각했다. 할머니는 도저히 참을 수 없어서 고민하다 가 결국 약국에라도 왔던 것이었다. 약국에서도 다른 사람 없는 점심 시간을 이용해서 들어오신 것 같았다. 여성질환에 대한 어머니 시대의 무지가 할머니의 고통을 배가 했을 거라 생각하니 마음이 아팠다. 아 픈 것은 부끄러운 것이 아닌데, 사회적 시선이 할머니를 힘들게 한 것 같다. 약을 받아서 가는 할머니의 표정이 개운해 보였다.

할머니를 보며 수연은 병원에 입원해 있는 엄마를 생각했다. 예전 에 일할 때는 아무 생각 없이 대했던 환자들이 엄마가 입원 하고 나서 는 다르게 보였다. 아픈 사람이 곁에 있다 보니 환자 하나하나가 다르 게 느껴졌다. 엄마처럼 심각한 질환은 아닐지라도 드나드는 나이 든 환자들과 그 보호자들의 심정이 남 일 같지 않았다.

벌써 한 달 이나 지났건만 병원의 분위기는 도통 적응이 안 되었다. 지하 주차장에 차를 세우고 병원으로 향하는 동안 눈에 띄는 건 오직 회색빛이었다. 하늘은 구름으로 덮여 있었고, 병원은 차갑게 빛나는 회색 콘크리트로 둘러싸여 있었다. 병원의 자동문이 열릴 때 멈칫했다. 문 너머에서부터 시린 공기가 밀려왔다. 차가운 에어컨 바람과 소독약의 냄새는 보이지 않는 거품으로 퍼져 왔다. 단순히 병원 실내의 온도가 차가워서가 아니라 병원 자체에서 느껴지는 감정 때문이었다.

월요일 오전의 병원 로비는 많은 사람들로 웅성거렸지만, 공기는 가볍지 않았다. 무거운 분위기가 머리를 위로 깔리는 느낌이었다. 역시 병원은 익숙해지지 않았다. 엄마가 입원해 계시는 병실로 올라가는 엘리베이터 안에 들어갔을 때 작은 한숨이 새어 나왔다.

그날 새벽, 이모의 갑작스러운 연락을 받고 동네 병원 응급실에 도착했을 때의 공포는 쉽게 지어지지 않았다. 정신을 잃고 누워계시는 엄마와 분주한 간호사들 그리고 정신 없이 검색해서 찾아봤던 출혈성 뇌졸중이라는 질병 이름이 확대 되어 기억 속에 강렬하게 남아 있다. 같이 응급차에 오르며 엄마의 손을 잡고 그저 기도했었다. 제발 아무 이상 없기를. 그때의 두려움은 여전히 가슴 한쪽에서 시리게 도사리고 있다. 아직 진행형이었다.

엄마는 여전히 병실에 누워서 의식이 없으셨다. 출혈성 뇌졸중은

보통 수술을 한다고 했다. 그중 1/3은 수술 중에 사망 한다. 엄마는 그 1/3은 넘겼지만 결국 의식이 돌아오진 못했다.

병실 문을 열자, 차가운 공기 속에 묻힌 엄마의 숨소리가 들리는 듯했다. 아버지는 잠시 화장실에 가신 것 같았다. 움직임 하나 없는 몸, 고요한 얼굴, 내가 여전히 알던 엄마의 모습이지만, 전혀 다른 사람처럼 보였다. 차갑게 가라앉는 손을 살며시 잡았다. 수연은 소리 죽여 울었다. 매일 찾아오지만, 볼 때마다 가슴이 미어졌다.

이 약국에서 일한 지도 벌써 3년 가까이 지났다. 병원에서 근무하다 퇴직한 지 3년이 지났다는 얘기와도 같다. 수연은 이 약국이 마음에 들었다. 집과도 가까워서 출퇴근 하기 편하고 무엇보다 근무 환경이 괜찮았다. 일단 평일에 오후만 근무하기 때문에 오전에는 개인적인 일을 할 수 있어 괜찮았다. 최근에는 약국을 개국하려고 오전 시간에 알아보러 다녔었다. 신규 약국을 계약할 뻔했던 적도 있었다. 괜찮은 곳이 있으면 적극적으로 비용을 알아 보고 후보 지역을 비교하며 열심히 했었다. 그러나 엄마가 입원하고 나서는 지지부진해졌다. 큰일을 겪어서인지 마음이 쉽지 않아 약국 개업 준비는 못하고 있었다. 힘든 상황에 놓여서 그런가 최근에는 약간의 우울증이 있는 것 같이 온몸에 힘이 없었다.

약국은 항상 분주했다. 마음 상태와는 다르게 환자들에겐 친절해야 했고, 자세하게 설명해야 했다. 밀려오는 환자들을 맞이하다 보면 시간이 훌쩍 갔다.

바쁜 시간이 어느덧 지나고, 무거운 마음으로 밖을 멍하니 바라보고 있었다. 순간, 자동문이 벌컥 열렸다. 땅땅한 할아버지 한 분이 들어와 두리번거리더니 카운터에 다가왔다.

"약사님, 그 저기, 박성만인데 지난번 받은 혈압약 있지. 그거 한 달 치만 지어줘." 할아버지는 첫 대면부터 고압적인 태도를 보였다.

수연은 웃으며 대답했다. "처방전 가져오셨어요?"

"내가 혈압약 먹은 지도 벌써 3년이야. 일단 먼저 약 주면 내일 병원 가서 받아올게."

나이 지긋해 보이는 분인지라 초면에 반말하는 것 정도는 이해했다. 약국에는 워낙 노인 분들이 많이 오니 자식뻘인 약사에게 반말하시는 경우야 많았다.

"아버님 처방 약을 받으려면 처방전이 필요해요. 법으로 그냥 줄 수가 없어요. 여기 바로 옆에 내과 있으니 가서 받아 오시면 될 거예요." 수연 약사는 웃으며 자세하게 설명했다.

남자의 얼굴이 순식간에 굳어졌다.

"몰라서 그런 게 아니라 지금 내과에 다 줄 서 있어서 그래. 내가 시간이 없는 사람이야."

수연 약사는 아직 미소를 잃지 않았다. "바쁘시군요. 저도 드리고 싶은데, 이게 어쩔 수 없네요."

"뭘 그렇게 까다롭게 굴어, 내가 이사 오기 전에 있던 약국에서는 다해줬어. 왜 여기만 안 돼?"

수연 약사는 순간적으로 속이 답답해졌다. 이런 상황이 많았다. 일부 수익만을 추구하는 약국들이 있어 시장 질서가 문란해지는 경우가 종종 있었다. 이런 일이 더 스트레스가 쌓인다. 편하다면 그냥 해드리고 모르는 척할 수는 있는데, 한둘이 이런 약속과 법을 어기면 누가 법을 지키고 약속을 지키겠는가?

억지 미소를 계속 유지했다. "정말 죄송합니다. 하지만 법적으로 처방전 없이는 약을 드릴 수가 없어요. 다른 약국에서도 마찬가지이긴 합니다."

남자는 화가 난 듯 혀를 차더니 한숨을 쉬었다. "하 괜히 시간만 버렸네. 내가 여길 다시는 오나 봐라." 그는 쿵쾅거리며 약국을 나갔다. 나가면서 뭐라고 더 얘기했는데 듣지 않았다.

수연은 눈을 감았다. 매일 같이 반복되는 진상 손님들 때문에 지치는 건 어쩔 수 없었다. 한숨이 절로 나왔다.

"괜찮아요. 약사님?" 이 광경을 지켜보고 있었던 듯, 할머니 한 분이 따뜻한 목소리와 처방전을 건넸다.

"안녕하세요. 지난번 오신 지도 벌써 반년이 되었나 보네요." 수연은 미소를 지으며 맞이했다.

할머니는 처방전을 꺼내며 말했다.

"시간이 빨리 간다오. 저런 손님도 가끔 있죠?"

"네 뭐 그렇죠. 요즘 몸은 어떠세요?"

"뭐 똑같네요. 이번에는 교수님이 상태가 괜찮다고 1년 뒤에나 보자고 하시더라고요."

순간 수연은 갑자기 깨달았다. 그동안은 별 생각이 없었는데, 단골

이신 할머니는 뇌졸중으로 병원에서 수술하고 이후 상태가 괜찮아져서 2차 예방 목적으로 고지혈증약과 혈액순환 개선제 약을 처방 받는 분이었었다. 워낙 인상이 좋으시고 친절하셔서 약 사러 오실 때 몇 마디 얘기를 나누다가 알게 되었다. 처방 받는 약만 봐도 무슨 이유로 약을 받고 있는지 알게 되는데, 할머니와는 뇌졸중 이후 주의 사항 등 건강 관련해서 상담을 드렸던 기억이 났다.

수연은 갑자기 엄마에 대해 얘기하고 싶었다. 무슨 이유에서인지는 모르겠다. 어쩌면 그동안 쌓여있던 걸 분출하고 싶었는지도 모른다. 마침, 한가하기도 했었다.

"갑작스럽긴 한데, 뭐 하나 물어봐도 될까요?" 대답을 듣지 않고 급하게 말을 이었다.

"저희 어머니도 지금 뇌졸중으로 병원에 입원해 계세요. 수술은 무사히 잘 됐는데, 아직 회복이 더딘 것 같아서요. 정말 걱정돼요."

수연은 갑자기 울컥하는 마음을 참기 어려웠다. 누군가에게 속내를 털어놓고 싶었다. 이렇게 감정을 드러내는 사람이 아닌데, 엄마와 같은 뇌졸중이었던 할머니에게 쏟아내고 싶었다.

"에이고 저런…. 최근에 그러신 거예요?"

"네."

"요즘 마음이 쉽지 않겠어요." 할머니는 수연의 손을 조용히 잡았다.

"엄마가 제대로 회복될 수 있을까요?" 수연은 마치 답을 구하듯이 간절한 표정이 되었다.

"음, 내 얘기를 하자면, 나도 하루하루가 너무 힘들고, 다시 정상으로 돌아올 수 있을지 너무 막막했어요, 그렇지만 시간이 약이더라고, 엄마도 조금씩 나아지실 거예요."

수연은 할머니의 손끝에서 느껴지는 따뜻함에 눈물이 차오르는 걸 느꼈다. 할머니의 건강한 모습 자체가 수연에게는 희망이었고, 하나의 위로였다.

"어머니도 회복하실 거예요. 희망을 놓지 말아요. 나도 지금 이렇게 걸어 다니잖아요."

할머니의 목소리는 단호했지만, 그 속에 깊은 위로가 담겨 있었다.

수연은 눈물을 참을 수가 없었다. 어머니의 회복을 간절히 바라면서도 최근 너무 힘들어서 그런지 어두운 생각에만 사로잡혀 있었다.

"정말 감사합니다. 할머니의 말씀이 큰 위로가 되네요." 수연은 짧은 시간이지만 진심으로 그렇게 생각했다. 어쩌면 누군가에게 확인 받고 싶었는지도 모르겠다. 괜찮다는 얘기를 듣고 싶었는지도 모른다. 약국의 환자분에게 위로를 받을지는 전혀 생각지 못했다. 약국에 드나드는 환자는 그저 '고객'일 뿐이었다. 처방전을 들고 오면 약을 건네주고, 돈을 받고, 복약 지도를 해주고 나면 끝. 일종의 공식 같은 거여서 감정이 개입될 여지가 없었다. 그렇다고 '고객'을 대충 대하는 건 아니었다. 항상 친절하게, 최대한의 도움이 될 수 있도록 노력하지만, 마음은 텅 비어 있었다. 바쁜 약국에서 일상을 소화하는 것만으로도 벅찼다. 게다가 최근에 엄마가 입원하고 난 뒤로는 항상 불안과 걱정이 가슴에 응어리처럼 남아 있어서, 그것은 모든 일상에 그림자를 드리웠다. 그랬는데, 엄마가 연상되는 할머니를 만나니 물꼬가 트여 버렸다. 어쩌면 남이어서 더 쉽게 얘기했는지도 모르겠다. 내 약점을 나누기엔 타인이 편했다. 왜 정신과 의사에게 상담 받으러 많은 사람이 가는지 알 것도 같았다. 엄마와 겹쳐 보였는지도 모르겠다. 할머니의 모습이 엄마가 건강해졌을 때의 모습을 미리 보는 것 같았다. 희망이 보이는 것 같아서 힘을 얻게 되었다.

"지치지 말아요. 가족이 회복될 때까지 곁에서 기다려 주는 게 얼마나 힘든지 알아요. 힘든 일 있으면 물어봐요. 도움이 될 수 있을 것 같아요." 할머니의 친절한 말이 가슴 깊이 새겨졌다.

약을 건네고 나서도 잠시 여운을 느낄 수 있었다. 할머니는 천천히 약국을 나섰다. 금세 다른 환자들이 들어오는 걸 보니 점심시간이 끝나가는 것 같다. 신기한 경험이었다. 매일 반복되는 엄마에 대한 걱정이 여전히 남아 있었지만, 할머니의 건강한 모습이 오래된 한 계속 희망을 품을 수 있을 것 같았다. 엄마를 위해서라도 굳게 마음먹어야겠다고 다시 마음을 잡았다

수연은 다시 약국에 오는 환자를 대하며 숨을 깊이 들이쉬었다. 다음에 엄마가 있는 병원으로 갈갈 때 마음이 조금은 가벼워질 것 같았다.

이상한 약국장

여름이라 태양이 일찍 떠오른다. 효숙은 횡단보도 앞에서 기다리며 역으로 들어가는 사람들을 쳐다봤다.

'다들 참 부지런히도 움직이네.' 오늘도 똑같은 하루였다. 매일 같은 시간에 지나치는 건물, 병원, 출퇴근을 반복하는 사람들은 지나치게 단조로워 보였다. 효숙이 지난 5년 동안 약국 보조 업무로서 다니고 있는 약국도 마찬가지로 환자, 처방전 입력, 계산, 포장 업무의 반복이었다.

그런데 최근에 그 단조로움이 깨졌다. 효숙은 특이한 능력이 있는 국장님을 생각했다. 평범한 일상에서 갑자기 특별한 비밀을 알게 된 것 같아 활력이 돋는 요즘이었다.

'참 신기하단 말이야.' 오늘은 또 무슨 재미있는 일이 있을까 갑자기 출근하는 길이 설레었다.

횡단보도를 건너 약국으로 가는 경사로에 들어섰다. 요즘에는 정말 러닝이 유행인 것 같았다. 5~6명의 운동복을 갖춰 입은 젊은이들이 뛰면서 다가오는 게 보였다. 확실히 여름이지만 날씨도 선선한 아침이라 달리기하기 좋았다. 여기서 조금만 들어가면 동네 하천이라 종종 러닝 하는 사람들이 보이곤 했다.

'아들은 운동 잘하고 있으려나.' 아들에 대해 생각하며 걸어가고 있을 때였다. 갑자기 러닝 하는 무리 맨 뒤에서 달리던 젊은 여성이 비틀

비틀 걷더니 풀썩 하고 쓰러졌다.

"은주야 괜찮아?" "무슨 일이야." 같이 뛰던 사람들이 깜짝 놀라서 다가왔다. 그 중 앞에서 사람들을 이끌던 남자가 오더니 가방에서 생수병의 뚜껑을 따고 쓰러진 여성의 입에 흘려주었다. 젊은 여성의 얼굴은 창백했고 이마에선 식은땀이 흘러나왔다.

"으..으.." 물이 입에 들어갔음에도 여성은 정신을 차리지 못했다.

그때였다. 걱정하고 있는 러닝 동호회원 주위로 아무도 눈치채지 못하게 갑자기 흰색 가운을 입은 여성 한 명이 튀어나왔다. 순식간의 일이었다. 더 놀라운 건 묶은 머리의 40대 초반 정도의 무테안경을 낀 이지적인 외모였다.

"저 이거 한번 물과 함께 줘볼래요?" 외모만큼이나 침착한 목소리였다. "저혈당 같아요. 아마 물만으로는 소용없을 거예요. 당이 필요할 거예요." 여성은 침착하게 손에 들고 있는 글루코스 정제를 물을 먹이고 있던 남자에게 건넸다. 쓰러진 여성은 의식을 잃은 건 아니었기에 남자가 물과 함께 글루코스 정제를 주자 입으로 녹여서 삼켰다. 주변의 러닝 회원들이 초조한 눈빛으로 지켜봤다.

가운 입은 여성의 등장이 흥미로웠는지 어느새 주변에는 지나가던 사람들이 몰려 들어 있었다. 어수선한 상황에서도 가운 입은 여성은 표정 하나 바뀌지 않았다.

몇 분이나 지났을까, 여성의 눈빛이 천천히 돌아오며, 안색이 조금씩 밝아지기 시작했다.

"어때요? 괜찮아요.?" 가운 입은 여성이 물었다.

"네…. 이제 괜찮은 것 같아요…." 여성은 여전히 정신이 없었지만, 조금씩 의식을 차렸다. 주변을 두리번거리며 자신에게 일어난 상황을 파악하고 있었다.

"괜찮아? 너 갑자기 쓰러졌었어." "괜찮아요? 어디 아픈 데는 없고?" 여성이 다행히 깨어나자, 주변에서 지켜보던 행인들은 서서히 흩어졌고, 동호회 회원들의 얼굴에 안도감이 묻어났다.

"어…. 나도 처음 이런 거라 깜짝 놀랐네, 도와줘서 고마워."

여성은 가운 입은 여성을 보더니 인사를 했다. "감사합니다. 혹시 저를…?"

"운동 전에 꼭 당분을 섭취하는 게 좋아요. 비상시에 이런 글루코스 정제 하나 가지고 다니는 게 좋습니다. 필요하면 약국에서 하나 준비해 두세요." 가운 여성은 미소를 지으며 대답했다.

"아 혹시 약사 선생님인가요? 감사합니다!" 여성은 고맙다는 말을 몇 번 이나 반복했다. 일행들도

모두 안도하는 표정이었다.

"다음에는 어지러운 느낌이 들 때, 포도당 캔디 같은 걸 물과 함께 바로 섭취해요." 가운 입은 여성은 더 이상 무리하지 말라고 조언한 뒤 바로 근처에 있는 약국으로 발걸음을 돌렸다. 등장만큼이나 소리 없는 퇴장이었다.

"무슨 일이었어?" "아, 내가 당뇨병으로 인슐린 치료를 받고 있는데, 그거 때문인 거 같아." 뒤에서 희미하게 나누는 얘기를 들으면서 여성은 빠르지도 느리지도 않은 발걸음으로 이동했다.

효숙은 분명히 또 봤다. 약국장님은 쓰러져 있는 여자에게 다가가기 전 코를 킁킁거렸다. 약국장님이 가지고 있는 그 이상한 능력이었다. 효숙이 약국장님의 이 특별한 능력을 알게 된 지는 얼마 안 됐다.

효숙이 다니는 약국은 동네에서 유명했다. 환자가 얘기하는 내용으로 겉으로 드러나는 질환을 정확하게 맞출 뿐 아니라 환자가 예상하지 못한 숨겨진 질환까지 맞춰서, 동네 많은 사람들이 상담하려고 많이 찾아왔다. 가끔 약국장님은 환자들과의 상담이 길어져 10시, 11시에 퇴근하기도 했었다. 약국장님이 최근에는 아이들 때문에 오전 근무만 하는데, 종종 상담하려는 환자들 때문에 7시 정도에 일찍 출근하곤 했다. 오늘은 9시 약국 영업시간에 늦지 않게 30분 일찍 왔는데, 국장님이 이미 가운 다 입고 약국에서 나온 걸 보니 오늘도 그런 상황이었던 것 같았다.

처음에는 약국 대부분의 약사가 다 이런 줄 알았다. 몇 가지 말만 듣고 정확하게 무슨 질환인지 맞혀 적절한 약과 치료 방향을 알려주는 게 다른 약사들도 하는 일반적인 능력인 줄 알았다. 그런데 근무 약사인 수연 약사의 얘기로는 그렇지 않다고 했다. 국장님이 환자의 숨겨진 질환 까지 정확하게 맞춰서 자기도 많이 놀랐다고 했다. 그래도 보조 업무인 효숙만큼 약국장과 많이 붙어 있진 않아서 그 사실에 대해서 크게 관심이 없긴 했었다. 수연에게 얘기를 듣고 나니 효숙은 국장님이 상담할 때 뭔가 더 유심히 지켜보게 되었다. 그래서 알게 됐는지도 몰랐다.

작년 겨울쯤이었다. 유달리 날씨가 추운 날이었다. 젊은 여자 환자한 명이 약국에 오더니 머리가 너무 아프다고 두통약을 달라고 했었다. 카운터에는 약국장님과 효숙이 있었다. 어떤 약을 줄지 약국장님의 얼굴을 본 순간 갑자기 킁킁 소리가 났다. 처음에는 잘못 들은 줄알았다. 그런데 가만히 생각해 보니 국장님과 환자를 맞이할 때 가끔이런 소리를 들었던 기억이 떠올랐다.

"혹시 최근에 화장실 가신 적 있으신가요?" 국장님이 물어봤다.

"네? 아…. 아니요. 제가 변비가 좀 심해서 이번에 한 5일 정도 된 거같아요."

"진통제 말고 그러면 먼저 소화제 한번 드셔보겠어요? 가스 제거하는 약 드릴게요." 약장에 가서 국장님이 소화제 알약과 마실 것을 가져왔다.

"네 소화제요? 저는 머리가 아파서 온 건데요…!" 여자는 의아해하면서도 약을 받았다.

"소화 운동이 잘 안되면 자율 신경이 영향을 받아서 두통이 생길 수있어요." 국장님은 친절하게 설명하면서 약의 바코드를 찍었다.

"그래요? 감사합니다." 여성은 미심쩍어했지만, 고개를 끄덕이며약을 받았다.

약국 문을 나서는 여성을 보면서 효숙은 가볍게 지나가는 말로 물어봤다.

"국장님 혹시 냄새로 환자의 숨겨진 질환을 알아내는 그런 거 아니죠?" 약국 카운터는 매우 좁은 공간이다. 바로 옆에 사람이 흠칫하는 기색을 못 알아차릴 수는 없었다.

"네? 국장님 설마, 그런 일이 가능한 거예요?"

약국장은 가만히 효숙을 응시했다. 효숙이 진실을 알아차려서 어떻게 반응해야 할지 고심 하는 것처럼 보였다. "무슨 그런 일이 가능하겠어요? 가끔 두통 환자의 원인이 소화 불량이었던 적이 많아서 추측해 본 거예요." 약국장은 자리를 피하는 듯 약국 내부 조제실로 들어갔다. 효숙은 약국장님이 정색하며 변명하는 모습에 오히려 더 확신하게 되었다. 평소 언제나 확실하게 칼같이 얘기하는 국장님이었는데, 당황하는 모습은 처음 보는 것 같다고 생각했다.

나중에 그 여성이 다른 약을 사러 약국에 들렀을 때 국장님에게 감사하다고 하는 얘기를 들으면서, 효숙은 약국장님의 작은 행동 하나하나를 유심히 관찰하기 시작했다. 그랬더니 다른 사람에 비해서 확실히 환자를 응대하기 전에 킁킁거리는 모습이 많이 눈에 띄었다. 약국장님은 킁킁거리는 행동을 억제하지 못하는 것 같았다. 나중에는 냄새를 맡는 동작을 할 때마다 가끔 한 번씩 효숙의 눈치를 살피는 듯도 보였다.

효숙은 과거의 일을 생각하며 얼른 출근 준비를 서둘렀다. 약국에 가서 손님을 맞이하는 국장님을 도와줘야겠다고 생각했다. 이제는 알 것 같았다. 효숙이 일하는 약국은 참 이상한 약국이었다. 단순히 약을 주고받는 공간만이 아닌 상담하는 환자들이 많은 것도 특별한 약국이었다. 냄새 맡는 약국장이라니, 효숙은 약국에서 근무한 지도 5년이 지났지만 요즘 출근하는 일이 설레었다.

내가 없던 나에게

이도규

이도규

주체없이 버둥거리기만 하였던 ICT 융합형 인재(人災).

뛰어난 인재(人才)로 변하기 위해 자신의 가치를 느끼고 싶어 글을 쓰기

시작한 외로운 영혼이다.

3인칭 관찰자 시점에서 1인칭 주인공 시점으로 사는 방법을 함께 찾아가

기를 희망한다.

email: dlehrb103@gmail.com

당신은 지금 어디에 서 있는가?

누구나 한 번쯤 이상적인 자신을 꿈꿔본 적이 있을 것이다. 그 모습을 향해 끊임없이 달려가고, 최선을 다해 노력하며, 때로는 스스로를 깎아내리기도 한다. 그러다 문득, 내가 무엇을 원하고, 어떻게 살아가고 싶었는지조차 잃어버린 그 순간. 그 순간이 오면, 마치 모든 것을 잃어버린 것 같은 기분이 들 것이다.

이 이야기는 완성된 나의 모습에 닿지 못한, 나의 나약함을 세상에 고백하는 이야기다.

—

나의 집 근처에는 커다란 공원이 있다. 공원 입구에서 오른쪽을 바라보면, 공원 외곽에 산책로가 조성되어 있다. 그 길을 걷다 보면 그 끝에는, 하천을 따라 이어진 기다란 산책로 입구에 도착한다.

그곳에 잠시나마 멍하니 서 있으면 알게 모르게 빨려들어가는 듯한 느낌이 든다. 다시금 발걸음을 옮기고 하자 역한 은행 냄새가 코를 찌르며 지나간다. 최근 보지 못했던 은행나무와 단풍나무가 산책로를 풍부하게 만들어주고 있는 것이다.

이 산책로는 어린 시절 내가 학교를 등하교하던 길이었다. 그리움에 과거를 회상하며 발걸음을 옮긴다. 그렇게 중간쯤 가면… 병원과 하천을 가로지르는 다리가 있을 것이다.

다리의 정중앙에서 하천을 바라본다. 멍하니 고개를 들어 건너편의 학교를 바라보며, 과거를 회상한다. 그러다 문득, 이곳 하천으로 들어가면 어떤 기분일까… 하는 생각에 난간에 더욱 가까워진다. 이대로 죽으면 모든 게 편해지지는 않을까? 그런 생각까지 다다르자 두 뺨을 치고는 남은 다리를 건너온다.

다리를 건너 입구로 돌아가려던 도중, 산책로의 풍경이 가을임을 상기시킨다. 그 여운을 느끼고 싶어, 근처 벤치에 앉아 멍하니 지나온 다리를 바라본다. 예전에 '계절을 느낀다는 건, 마음의 여유를 되찾아가고 있다는 증거'라는 글을 본 기억이 난다.

"그래도 많이 좋아졌네…"

그렇게 고개를 들어 하늘을 바라보니, 옆에 한 남학생이 조용히 앉는다.

남학생은 깊은 한숨을 내쉰다.

학생이 신경 쓰이면서도 자리에서 일어나야 할지, 말아야 할지 고민한다. 어찌할 바를 몰라 허둥대고 있는데, 학생이 어리둥절한 나의 모습을 보더니 미소를 짓는다.

눈이 마주친 나는 어찌할 줄 몰라, 자리에서 일어나려던 찰나 남학생이 말한다.

"안녕하세요."

밝아 보이는 학생은 나를 안심시키려는 듯 미소를 짓는다. 진정이
된 나는, 그 자리에 다시 앉으며 말한다.

"안녕하세요."

잠시 어색한 침묵이 흐른다. 학생은 먼저 말을 걸었음에도, 어떻게
말을 시작해야 할지 몰라 곤란해 보인다. 긴장이 풀린 나는 학생이 입
을 떼기를 기다린다. 참으로 어른스럽지 못하다.

"아저씨도 뭔가 힘든 일이 있으신 건가요?"

학생은 나이에 비해 어른스러운 모습으로 미소 지으며 묻는다. 나
는 그 모습에 고개를 숙이며 끝내 입을 열지 못했다. 아마… 부끄러워
서일 것이다.

그래도 그 질문에 답해야겠다는 생각에, 작게 속삭였다.

"그런 것 같네요."

학생은 나의 어투가 신기했는지 놀란 표정을 짓는다.

"아저씨는 저 같은 학생에게도 존댓말을 하시네요?"

그 말에 나 또한 놀라 학생을 바라본다. 두 눈이 마주치자 학생의 모
습이 눈에 들어왔다. 학교 교칙에 맞게 단정하게 입은 교복 차림의 학
생은 그야말로 모범생의 전형이었다.

어떻게 대답하는 게 자연스러울까 고민하다, 학생에게 말한다.

"존댓말이 편해서요"

학생은 혼잣말로 "이런 분도 계시는구나"라고 중얼거리며 납득하듯
고개를 끄덕인다. 나는 고개를 돌려 깊은 생각에 잠겨 공허히 학교를

바라본다. 잠깐의 잠적이 지나고 학생은 조심스레 내게 물었다.

"아저씨, 아까… 죽으려고 하셨죠?"

그 말에 놀라 학생을 바라보았다. 학생은 천진난만하게 호기심 가득한 눈빛으로 나를 바라보고 있었다. 고개를 숙이며, 두 손으로 얼굴을 쓸어내린다.

"어림짐작이었는데, 맞나 보네요. 히히"

뭔가 신기한 것을 발견했다는 듯 학생은 이 상황을 즐기고 있었다. 이에 어떻게 답해야 할지를 몰라 당황하고 있는데, 학생이 말을 이었다.

"그럼 죽기 전에, 제 상담 좀 들어주실래요?"

장난스럽던 학생의 웃음기가 사라지고, 눈빛이 한층 진지해졌다. 그 순간, 마치 다른 사람을 보는 듯한 기분이 들었다. 나도 모르게 자세를 고쳐 앉아 학생을 바라보니, 학생은 씁쓸한 표정으로 바닥을 보고 있었다. 무언가 깊은 고민이 있어 보였다.

묵묵히 그 모습을 보던 나는, 자신감 없이 답하였다.

"저라도 괜찮다면…"

학생은 조심스럽게 말을 이었다.

"최근 성적이 많이 떨어졌어요, 여러가지로 시도해보고는 있는데, 뭐랄까… 그 이유를 잘 모르겠어요"

조용히 학생의 이야기를 듣는다. 내가 집중하는 모습을 본 학생은 이야기를 이어간다.

"다른 건 잘 모르겠는데, 국어가 많이 어려운 것 같아요. 다른 친구들은 답이 바로 보인다고 하는데, 저는 항상 답이 두 개로 보이거든요"

그 말을 듣자 문득 학창 시절이 떠올랐다. 국어 문제라… 나도 비슷했던 것 같다.

"항상 두 답을 비교하다가 시간을 뺏기거나, 엉뚱한 답을 골라버리고 말아요. 근데 저는 그게 답이라고 생각할 때가 있거든요."

학생은 묵묵히 자신의 이야기를 계속한다.

"문제에 답이 있다고들 하는데, 아무리 생각해도 저는 그 답이 왜 그런지 알지 못하겠어요."

그 이야기를 듣고 있자니, 이상하게도 부끄러움이 몰려왔다. 이 어려운 질문에 어떻게 답해야 할지 몰라 난감해하고 있는 것이다. 그러자 나의 감정을 미리 알고 있다는 듯이 학생은 미소 지으며 말했다.

"사실, 성적은 그저 핑곗거리일 뿐이에요. 진짜 문제는 따로 있어요... 그게 저를 더 힘들게 하고요."

눈을 동그랗게 뜨고 학생을 바라봤다. 마치 내 마음을 꿰뚫어보는 듯한 그의 말에, 순간 할 말을 잃었다.

"출제 위원이 정해놓은 답을 납득하는 게 어려워요."

학생은 한숨을 쉬며 말을 잠시 멈췄다.

"그리고 더 나아가자면…"

학생의 눈빛이 잠시 허공을 헤맸다.

"누군가가 만든 정답을 알아채는 게 어려운 것 같아요."

그의 목소리는 약간 떨리는 듯했다.

"그 답이 제 생각과 다를 때마다... 마치 제가 틀린 사람이 된 것 같아서요."

학생의 모습을 보고 있자니 많은 생각이 들기 시작했다. 지금의 나를 보자, 매번 윗사람들의 말에 의존해 결정을 미루고, 정작 그들이 내놓은 답을 믿지 못해 혼자서 혼란스러워하고 있지 않았던가. 학생의 상담은 마치 내 안의 혼란에 대한 답을 갈구하는 것처럼 느껴졌다. 그래서 어떻게 대답해야 할지 모르겠다. 아니, 어쩌면 답은 이미 알고 있었을 것이다. 그럼에도 선뜻 자신 있게 말하지 못하는 것이다.

"아저씨?"

학생은 나의 답을 기다리듯 간절한 눈빛으로 나를 바라보고 있다. 나는 깊은 숨을 들이쉬며 어렵게 입을 열었다.

"꼭 남들이 만든 정답을 받아들이는 게 맞는 걸까… 싶네요."

어쩌면 학생의 질문과는 동떨어진 답일지도 모른다. 하지만 이상하게도 이 말이 지금 필요한 조언이라는 생각이 들었다. 학생은 밝게 미소 지으며 대답하였다.

"받아들인다고는 말하지 않았는데… 근데 왠지, 그 말이 가슴에 와닿네요. 제가 항상 정답을 찾으려고 애썼던 게 어쩌면 틀렸을지도 모른다는 생각이 들어요."

학생은 마치 무언가 깨달음을 얻은 듯 자리에서 일어났다. 그리고는 자판기에서 캔 음료 두 개를 사서 내게 하나를 건넸다.

"어 괜찮은데, 고마워요."

학생은 실실 웃으며 음료를 마시는 나를 바라본다. 그러다 뭔가 생각난 듯 내게 묻는다.

"아저씨는 학창 시절 때 어땠어요?"

그 질문에 순간 목이 메인 것처럼 답이 나오지 않았다. 고개를 떨구며 어떻게 대답해야 할지 고민하였다. 학생은 다시 벤치에 앉아, 기다리겠다는 듯 조용히 나를 바라보고 있었다. 그 모습에, 음료를 한 모금 마시고 용기를 내어 입을 열었다.

"선생님들 말씀을 잘 듣곤 했죠."

그렇게 작은 답변을 꺼내며, 과거를 회상하듯 벤치에 등을 기대고 하늘을 바라보았다.

"공부는 그렇게 잘하지 못했지만, 그래도 나름 성실하단 소리는 들으면서 지냈던 것 같네요. 그런데 그게 정말 나를 대변하는 말인지 모르겠어요. 그냥 시키는 대로만 했던 것 같기도 하고…"

학생은 아련한 표정으로 나를 바라본다. 뭔가 원하는 답을 해주지 못한 것 같았다. 마치 내 생각을 읽기라도 한 듯, 학생이 물었다

"아저씨는, 엄청 예민하신 분 같아요, 눈치도 자주 보시는 분 같고…"

그 말에 순간 심장이 철렁 내려앉았다. 마치 내 깊숙한 곳을 들킨 것처럼 부끄러움이 밀려왔지만, 나는 그저 눈을 피하며 아무 말도 하지 않았다. 내 감정은 변명조차 하지 못한 채, 그저 학생의 눈치를 보고 있을 뿐이었다.

"학생은… 관찰력이 좋군요"

나는 힘겹게 입을 열었다. 학생은 고개를 저으며 다부진 표정으로 말하였다.

"제 눈치 보실 필요 없어요, 저도 아저씨랑 비슷하거든요. 어른들 눈치 잘 보고, 하라는 것이 잘 되었는지 매일 확인하고 의심하고…"

학생은 히죽 웃으며 이야기를 이어갔다.

"솔직히, 제가 원하는 걸 하고 산 적이 없는 것 같아요. 늘 다른 사람들에게 맞추기에 바쁘고. 뭐, 그게 더 쉬우니까."

학생은 목소리가 떨리면서도 계속 말을 이었다.

"그게 언제부터인지는 모르겠는데, 어느새 나 자신을 잃어버린 느낌이에요. 내가 원하는 게 무엇인지조차 잊어버렸어요."

학생은 마치 울분을 토로하듯, 멈추지 않고 이야기를 쏟아냈다.

"그 있잖아요. 게임하면서 져주기도 하고, 이야기하면서 비위 맞춰주기도 하고, 남들이 아무도 안 고를 것 같은 선택을 해서 분란을 피하려고도 해보고… 간절히 무언가를 이루고 싶은 감정도 사라지고, 뭘 하고 싶다는 생각도 없어지고… 그게 좀 어려워요. 헤헤"

학생의 이야기는 마치 내 이야기를 하는 것 같아, 슬픔이 몰려왔다. 나 또한 그랬다. 일이 복잡해질 것 같으면 타인의 결정에 의지했고, 상사가 험한 말을 할가 두려워 틀린 방법인 줄 알면서도 그들의 방식을 따랐다. 결국, 그런 식으로 나는 내 삶의 결정을 타인에게 넘겨왔던 것이다.

"뭔가를 선택하는 것 자체가 너무 어려워요, 그래서 '결정장애'라는 표현도 있잖아요?"

학생은 울 것 같은 표정으로 나를 바라보며 물었다.

"엄청 비열하죠?"

학생의 얼굴을 확인하고는 가슴이 아파왔다. 한숨을 푹 쉬며 머릿속을 정리한 뒤, 조심스럽게 입을 열었다.

"학생은 선의로 그런 거잖아요?"

학생은 조심스레 고개를 끄덕였다.

"그렇다면, 그건 비열하지 않아요. 오히려 다른 사람들을 배려하려고 했던 거니까."

학생은 나의 말을 듣고, 그 말에서 답을 찾으려는 듯 간절한 눈빛으로 나를 바라보았다.

"자기 실수로 상황이 악화되는 게 무서운 거죠… 답을 알더라도, 그 답에 확신이 없어서 계속해서 의심하고 갈팡질팡하다가… 이미 다른 누군가가 답을 내버리는 거죠."

학생은 놀란 듯하면서도, 무언가 깨달은 듯한 표정으로 나를 바라보며 답을 갈구했다.

"답을 말하는 것조차 두려운 것 같아요. 걱정이 많은 걸까요? 정확히 말하자면… '스스로에 대한 확신이 없다'?"

나는 고개를 끄덕였다. 학생은 그 대답에 만족한 듯 미소를 지으며 말했다.

"그러네요… 참 어려운 이야기일 텐데, 상담해주셔서 감사합니다."

학생은 너무나도 밝게 미소 지었다. 무언가를 털어버린 듯한 그 표정에 나도 모르게 미소가 번졌다. 내 미소를 확인한 학생은 여전히 환한 얼굴로 말했다.

"아저씨도 힘내요! 무슨 일인지는 모르겠지만, 살다 보면 좋은 날도 오겠죠?"

학생은 그렇게 인사를 남기고 학교로 가는 계단을 내려갔다. 나는 한참 동안 그 뒷모습을 지켜보며, 많은 생각에 잠겼다. 여러 생각이 교차하고 나니, 이상하게도 마음 한구석이 따뜻해졌다. 나오길 참 잘했다는 생각에, 나는 하늘을 올려다보며 밝게 미소를 지었다.

—

해가 지고 자리에서 일어난다. 집으로 돌아가자니 어쩐지 발걸음이 쉽게 떨어지지 않는다. 주변을 둘러보며 지금 내가 있는 곳을 확인한다. 아파트가 들어서 산책로를 이어준 이 화사한 공간은, 조경에 신경을 많이 쓴 듯한 나무들의 나열이 인상깊다. 들어올 때도 그렇고, 나갈 때도 그렇고, 그 끝을 가보고 싶어지게 만드는 이 경치에, 나는 작은 여운에 잠겼다.

학교가 보이지 않을 만큼 어느새 멀리 걸어온 듯하다. 이제 집으로 들어가야겠다는 생각에, 터벅터벅 늦은 걸음으로 발을 옮긴다. 시간을 확인하니 저녁 9시, 그 시각에 맞춰 산책을 나선 사람들이 하나 둘 보이기 시작한다. 이어폰을 끼고 달리기를 하고 있는 중장년의 사람들, 단체로 뛰고 있는 학생들, 산책을 나온 가족과 친구들, 그들을 바라보고 있자니, 마치 나만 반대로 걸어가고 있다는 기분이 든다.

누군가는 일을 마치고 퇴근해, 하루의 끝을 운동으로 마무리할 것이다. 운동이 아니더라도, 저마다의 방식으로 다양한 여가를 즐기겠지. 나는 그들을 애써 외면하며, 산책로를 나와 집으로 돌아간다.

집에 돌아와 몸을 씻고, 정리를 하고 의자에 앉아 멍하니 천장을 바라본다. 이내 컴퓨터를 켜고 일기를 쓰기 시작한다. 오늘은 꽤나 긴 일기가 완성될 것 같다. 이렇게 오늘도 자기연민이 가득한 일기가 완성되어 간다.

—

다음 날, 자리에서 일어나 멍하니 천장을 바라본다. 몸이 무겁게 느껴져 다시 침대에 누워버리자, 금새 잠이 밀려온다. 겨우 일어나 몸을 씻고 나갈 준비를 한다. 새하얗던 화장실은 어느새 이곳저곳이 곰팡이로 얼룩져 있다. '이걸 언제 치우지…' 하는 마음에 조금씩 건드려보다가, 힘이 빠져 멍하니 바라만 본다. 정신 차려야지 하며 고개를 흔들고, 몸을 닦고는 밖으로 나선다.

자취생활 10년째… 어제의 일도 있어, 집안을 둘러보았다. 난장판이 따로 없었다. 온갖 쓰레기와 잡동사니, 버려야 할 것들로 가득 찬 이 공간을 바라보고 있자니, 문득 나 자신이 한심하다는 생각이 몰려온다.

그때, 마치 나의 한심함을 조롱하듯 휴대폰에서 진동이 왔다. 얼마 전에 봤던 면접에서 탈락했다는 문자였다. 이미 예상했던 결과였지만, 막상 문자로 확인하니 마음 한구석이 쓰리게 아파왔다.

—

나에게는 집을 나가기 위한 '방정식'이 있다.

첫번째, 목적지를 정한다.

두번째, 목적지를 향한 길목으로 3분에서 5분정도를 생각을 비우며 걷는다.

세번째, 긴장이 풀리면 그 자리에 멈춰서서 심호흡을 하고, 장소를 인지한다.

이러한 방정식에 따라 오늘의 목적지인 병원을 향해 출발한다. 평일이라 그런지 사람이 얼마 없다. 모두가 회사에 들어가 일을 하고 있을 것이다. 그 일이 어떤 일인지는 알지 못한다. 그러나 그 일을 하기 위해 고군분투하고 있을 사람들을 상상해본다.

길을 걷다가 비춰지는 창문으로 나의 모습을 확인한다. 그리 자신감도 없어 보이고, 무뚝뚝하고, 지쳐보이는 모습… 이러니 이 모양 이 꼴이지.

걸음을 옮기다 보면 사람들의 걸음걸이가 신경 쓰이기 시작한다. 서둘러 걷는 사람들, 터벅터벅 여유롭게 걷는 사람들. 그리고 그들의 걸음걸이에서 성격을 유추해본다. 저 사람은 성격이 급할까? 저 사람은 여유가 넘치는 사람일 것 같아. 그렇게 걷다 보니 어느새 병원 앞에 도착했다.

터벅터벅 계단을 오른다. 4층이라는 높은 층에도 불구하고 엘리베이터는 타지 않는다. 그 좁은 공간이 답답하고 숨이 막히기 때문일 것이다. 계단을 한 발 한 발 오르면서, 그 숨 막히는 공간에서 도망치듯 오르는 나 자신이 우스워 보였다.

병원에 도착해 접수를 마친 후, 환자 대기실에 앉아 눈을 감았다. 여기는 정신의학과. 편안한 음악이 대기실에 흐르고 있다. 사람들의 마음을 진정시키려는 의도였겠지만, 나에게는 그 음악이 오히려 더 불안하게 들린다. 그런 생각을 하며 눈을 감고 음악에 집중해보려 했지만,

이내 이름이 불려 원장실로 들어갔다.

"오랜만이에요! 잘 지내셨어요?"

너무나도 친절한 의사 선생님이 밝은 미소와 함께 나를 맞이한다. 그 과장된 친절함에 나는 약간의 미소를 지으며 고개를 끄덕였다.

"안녕하세요."

병원에서의 치료는 늘 그렇듯 간단하다. 20분에서 40분 정도 상담을 하고 몸 상태를 확인한 뒤, 약을 처방받는 게 전부다. 나는 공황 발작을 겪고 있는 환자이기에 의사도 나름 신경을 써주는 것 같았다.

나에 대해 이야기를 하다보면 부정적인 감정이 매몰차게 몰려와, 누군가를 욕하고 저주하는 듯한 말을 자주 하는 것을 느낀다. 의사 선생님은 그런 나의 모습에 공감을 해주는 듯하지만, 어째서인지 부추기는 것 같았다.

친절함에 이끌려 몇 개월째 이곳에 다니고 있지만… 우울감이 치료가 되지는 않는다. 대부분의 시간을 남 탓하는 데만 신경 쓰고 있기 때문일 것이다

시간에 따라 가격이 측정되기에, 최소한의 이야기만 주고받고는 치료를 마치고 밖으로 나온다. 카운터에서 2주 분량의 약을 처방받고 계산을 마치려는 순간, 직원이 내게 진단서를 건넸다.

"선생님이, 진단서를 한번 확인해 보라고 하셨어요. 확인해 보시면 좋을 것 같습니다."

그 말에 별 생각 없이 진단서를 챙겨 간다. 고개를 살짝 끄덕이며 감사하다는 인사를 하고, 병원 밖을 나선다. 근처 약국에 들러 처방받은

약을 들고는 멍하니 서 있었다.

변덕이었을 것이다.

병원 아래에 있는 카페에 들어가, 아이스 아메리카노를 주문했다. 자리에 앉아 멍하니 창밖을 바라보며 바삐 움직이는 사람들을 관찰한다. 그들의 발걸음은 하나같이 급해 보였다. 나도 저런 때가 있었지. 회상하며 천천히 커피를 마셨다. 깊은 한숨을 내쉬며 여운을 느끼지만, 공허해지는 눈빛은 여전히 달라지지 않는다.

한참을 그렇게 앉아 있던 중, 옆자리에 한 청년이 세상을 잃은 듯한 표정으로 앉았다. 그 청년의 무거운 인상에 괜히 눈을 피했다. 흘끗 바라보니, 그 청년은 마치 자신을 세상으로부터 숨기려는 듯 온통 검은색으로 도배된 옷차림을 하고 있었다. 검은 후드티, 검은 면 바지, 검은 신발, 심지어 끼고 있는 장갑 마저도 검은색이었다.

그 청년은 테이블 위에 방금 구매한 약 봉투와 진단서를 올려두고는 깊은 생각에 잠긴 듯했다. 나는 무심코 그 모습을 멍하니 바라보다가, 청년과 눈이 마주쳤다.

잠깐의 정적이 흐른 뒤, 청년이 먼저 입을 열었다.

"무슨 일이신가요?"

나는 당황한 나머지 허둥거리기 시작했다. 청년은 아무런 표정도 없이 그런 나를 말없이 바라보았다. 어느 정도 시간이 흐르고 진정한 뒤 심호흡을 하고는 조심스럽게 사과했다.

"죄송합니다."

청년은 괜찮다는 듯 고개를 저었다. 청년은 다시 한참 동안 공허하게 창밖을 바라보더니, 갑자기 말을 꺼냈다.

"결례가 되지 않는다면 이야기 상대 좀 해주시겠어요?"

청년의 목소리에는 미묘한 떨림이 섞여 있었다. 무슨 일이 있었던 걸까. 나는 천천히 고개를 끄덕였고, 청년의 이야기를 기다렸다.

"사회에 적응하기가 너무 힘들어요."

청년의 목소리엔 울먹임이 느껴졌다. 그러나 그 목소리는 묘하게 다부졌다. 그 모습이 이질적이면서도 한편으로는 나와 닮아 있다는 기분이 들었다.

"노력의 기준을 모르겠어요. 결국 이번 회사에서도 도망쳤네요."

청년은 천천히 눈을 감았다. 그를 바라보고 있자니, 나도 모르게 동질감이 느껴졌다.

"저는요, 목표가 분명한 일을 좋아해요. 그래서 어디를 가든 목표를 분명히 세우려고 노력했죠. 하지만 제가 하고 있는 일만으로는, 그 목표를 분명히 하기 어렵잖아요?"

청년은 말하면서도 뭔가를 깊이 생각하는 듯했다. 그의 목소리엔 미묘한 떨림이 섞여 있었지만, 그 안에는 고통과 혼란이 엿보였다.

"그래서 다른 분야의 일들도 알아보려고 노력했어요, 소통도 몇 번 해봤지만… 그건 간섭이었을지도 모르겠네요."

청년은 커피를 한 모금 마시고는 이야기를 이어갔다.

"지금 하고 있는 일도 제대로 하지 못하면서, 다른 일들을 신경쓰는 것 자체가 무례했던 걸까요? 그래도 나름 잘 해내려고 했던 일종의 과정이었는데.

연민에 빠진 청년은 계속해서 자책만 하고 있었다. 그 모습에 슬픔이 느껴졌다.

"모르면 가르쳐 줄 수 있는 거잖아요? 처음부터 제대로 인수인계를 받은 것도 아니고, 알아야 할 자료를 제공해 준 것도 아니고, 설명도 없고, 관심도 없고."

"많이 힘드셨겠습니다."

"그렇죠? 뭐 그렇다고 일을 하려면, 어떻게든 알아가야 하니까. 이것저것 건드려봤죠, 스스로 여러가지 해보려고 노력은 했는데, 그 과정에서 기본이 안되어 있고, 예의도 없고"

청년은 눈을 찌푸린다. 회사에서 들었던 험한 말들을 기억해내려는 것 같았다.

"이해했습니다. 거기까지만 생각하셔도 돼요. 뭔가 안 좋은 이야기를 들으셨나 보군요."

"답이라고 주신 내용들 전부, 제대로 한 적이 없던 것 같아요"

청년은 고개를 떨구며 자책하듯 중얼거렸다.

"업무의 결과를 정해 놓고, 그 방법을 저한테 갈구하는 듯한 느낌을 받았어요. 처음인데, 그 방법을 어떻게 알겠습니까?"

나는 조용히 그의 말을 들었다. 마치 내 회사 생활과도 크게 다르지 않은 이야기였다.

"업무 기간이 촉박해지면 그제야 관심을 주고 재촉했어요. 기간은 충분했을 텐데, 거의 방치해두다가 마지막에 와서…"

"대부분의 회사가 그렇지 않나요?" 내가 무심코 던진 말에 청년은 잠시 멈칫했다.

"그렇죠, 그런데 그게 힘들었나 봅니다. 뭔가 체계적으로 능력을 쌓아가고 싶었거든요."

청년의 목소리는 혼란스러웠다. 그는 말을 이어갔다.

"상사들이 무슨 생각을 하는지 도저히 모르겠어요. 필요하다고 해서 만들면 필요 없다고 하고, 정작 해 가면 방향이 다르다고 하고… 대략적인 개요만 주고는, 마치 처음부터 완성된 사람에게 일을 시키는 것 같았단 말이에요. 자기들도 모르면서."

청년의 눈동자가 크게 흔들렸다. 그 순간, 무언가 좋지 않은 기억이 떠오른 듯 보였다.

"완성까지는 아니더라도, 혼자서는 절대 안 되는 일인 걸 알면서도… 모르겠어요. 그냥 모르겠다고요."

청년의 불안한 눈빛이 급기야 몸에도 영향을 미치기 시작했다. 그는 눈에 띄게 땀을 흘리기 시작했고, 손이 떨리는 듯했다. 다급하게 앞에 놓인 약을 하나 꺼내더니, 입에 털어넣고는 크게 심호흡을 한다.

"죄송합니다. 좀 흥분했네요."

"괜찮습니다…"

나는 조용히 대답했다. 청년은 잠시 눈을 감고 숨을 고르더니, 차분해진 목소리로 다시 이야기를 이어갔다.

"일이라는 게, 돈을 벌기 위해 하는 거잖아요. 그런데 거기에 좋은 인간관계를 만들려고 한 게 잘못된 걸까요?"

지금까지와는 전혀 동떨어진 질문이었지만… 뭔가 자신에 대해 구원받고 싶어 하는 듯한 그의 표정에 멈칫하였다. 그리고는 조심히 나의 생각을 말하였다.

"같이… 일한다는 느낌을 받고 싶으셨던 거군요?"

청년은 놀란 듯 눈을 크게 뜨고 나를 바라보았다. 그리고 작은 눈물을 흘리기 시작했다.

"네… 그랬습니다."

나도 잔뜩 몰입했다. 어쩐지 알 것 같았다. 나 역시 같은 경험을 했으니까. 하지만 결국에는 잘못된 결과로 이어졌고, 상사의 꾸지람만 들었을 뿐이었다. 그 순간, 나도 모르게 헛웃음이 터져 나왔다. 청년은 내 웃음에 불안해하며 물었다.

"한심하신가요?"

"그럴 리가요… 지나고 보니, 그 또한 경험이었다는 생각이 들었거든요."

청년은 다시 놀란 눈빛으로 나를 바라보며 굳어 있었다. 그의 연민에 깊이 공감한 나는 나도 모르게 이야기를 계속해서 풀어내기 시작했다.

"혼자 일하는 일이 빈번했던 것 같아요. 아니, 일뿐인가요? 도움을 받는 게 많이 어색했어요… 학창 시절부터 그랬던 것 같아요. '공부해라, 성적이 왜 이 모양이냐, 좋은 대학 가야지.' 그런 말만 들으면서 자랐죠."

청년은 천천히 내 이야기를 경청했다.

"정작 그걸 위한 방법이나 노하우는 배운 적이 없었던 것 같습니다.

마치 결과만을 요구받는 기분이었어요. 다 저 잘되라고 하는 소리니까요?"

"하하하…"

청년의 허탈한 웃음소리가 들렸다. 그리고는 눈물을 닦으며 깊은 한숨을 내쉬었다.

"그렇게 대학에 가니, 목표가 없으면 공부고 뭐고 못 하겠더라고요. 그게 너무 힘들었어요. 그래서 어떻게든 목표를 만들려고 애를 썼던 것 같아요."

"왠지… 알 것 같네요."

"그렇죠? 그런데 그 목표를 만드는 데 힘을 다 썼던 게 문제였던 것 같습니다."

"…"

"막상 뭔가를 하려니 힘이 빠졌던 것 같아요."

나 또한 연민에 빠진 느낌이 들었다. '그때는 그랬지…'라는 생각에 깊은 회한이 몰려온다.

"생각해 보면… 대부분이 그러지 않았을까요?"

"스스로 결정하는 법을 배운 적이, 없었던 것 같네요"

청년은 차분히 내 이야기를 들었다. 그 역시 회한에 젖은 듯 창밖을 응시하고 있었다.

"정해진 답만 쫓아왔던 것 같아요. 그 답에 도달하지 못하면 도태된다고 생각했어요."

내 이야기에 청년은 천천히 말을 이어갔다.

"그 답을 알지 못해서, 주변에 갈구했던 것 같아요. 도대체 정답이 뭐냐고… 하지만 돌아오는 건 그저 눈앞의 문제를 해결하라는 요구뿐이었죠."

"정답은 없는데 말이죠?"

"그러게요. 하하하."

청년은 살짝 웃었다. 하지만 그의 눈동자에는 여전히 슬픔이 가득 차 있는 듯 보였다.

"저는… 제 결정을, 남한테 미루는 버릇이 생겨버린 것 같아요."

청년의 한탄 섞인 말에 나는 무슨 말도 해줄 수 없었다. 나 또한 그랬을 테니까

몇 초간의 정적이 흐르고, 나도 회한에 젖어 한마디를 내뱉었다.

"저도 그랬습니다. 제 답이 항상 정답이 아니라고 생각하며 살아왔거든요."

청년은 슬픈 눈빛으로 내 어깨를 다독였다. 나도 그동안 이해받고 싶었던 건 아니었을까… 라는 생각이 스치며 작은 눈물이 흘러내렸다.

"외로우셨군요."

청년의 말이 끝나자마자, 그 말을 기다렸다는 듯 눈물이 쏟아졌다. 소리 없이 그저 울기만 했던 것 같다. 그저, 이해 받기를 원해왔다는 것을 이제서야 깨달은 것이었다. 하지만 더 나아가… 느낀 하나의 답이 헛웃음과 함께 터져 나왔다.

"나조차도 나를 이해 못하는데, 어떻게 이해받기를 바래…"

청년은 내가 생각을 정리하기를 기다려주기라도 하듯, 조용히 있었

다. 그 자리에는 아무 소리도 나지 않았다. 몇 분간의 시간이 흐르고, 허탈하게 웃으며 나는 청년을 돌아봤다.

깊은 정적이 흘렀다.

그 자리에 청년은 없었다. 눈앞에 놓인 약은 여전함에도 그 청년의 흔적은 어디에서도 볼 수가 없었다. 나는 청년이 돌아오길 기다렸다. 그러나 그는 돌아오지 않았다.

"인사는 하고 가시지… 약은 어쩌시고…"

혹시 몰라 약을 챙기려던 찰나, 약 아래에 있는 뒤집혀 있는 진단서에 눈길이 갔다. 순간 괜찮나 싶은 마음에, 진단서를 뒤집어 보았다. 그리고 나는 그대로 굳어버렸다.

…

진단서에 적힌 환자의 이름은…

나의 이름이었다.

순간 당황한 나는 무의식적으로 침을 꿀꺽 삼켰다. 나는 천천히 글자를 하나하나 눈으로 더듬어 내려갔다. 그때, 내 어깨를 누군가 살짝 잡았다. 천천히 뒤를 돌아보았다.

어제 만났던 그 학생이 고개를 끄덕이며 미소를 짓고 있었다. 나는 말문이 막힌 채 그 자리에 얼어붙었다.

"아저씨, 이제 말해도 돼요."

그 익숙한 미소와 말투, 그리고 어제의 기억. 나는 그저 넋이 나간 듯 앞을 바라볼 뿐이었다. 다시 고개를 돌려 진단서를 들여다보았다.

차가운 문구가 내 눈에 박혔다.

『환자는 자신이 정기적으로 특정 인물과 소통하며, 그 대화가 매우 실질적이고 일상적이라 주장하고 있습니다. 본인은 이를 현실적이고 자연스러운 상황으로 받아들이고 있으나, 실제로 해당 인물은 실존하지 않는 환각인 것으로 판단됩니다.』

"아….."

믿기지 않는 현실에 나는 천천히 약을 집어들었다. 약의 내용물을 확인했다. 오늘 병원에서 받은 약과 비슷했다. 주머니에서 아까 받은 약을 찾기 위해 뒤적였지만, 아무리 찾아도 그 약은 없었다.

『진단 명: 정신 분열증, 대화형 환각 증세 동반』

천천히 고개를 떨군다.

천천히 종이를 집는다.

천천히 자리를 나선다.

천천히

천천히…

밝게 웃고 있는 학생 뒤로, 아까 전의 청년이 다가온다. 그는 웃으며 말했다.

"어때요, 지금 기분은?"

그 소리와 함께 나는 힘이 빠진 듯 의자에 털썩 주저앉았다. 이런 나를 걱정스러운 눈빛으로 바라본 카페 직원이 다가와 말을 걸었다.

"저기… 손님, 괜찮으세요?"

나는 반사적으로 대답했다.

"아, 네. 괜찮습니다. 감사합니다."

하지만 직원은 여전히 의심스러운 나를 의아하게 바라보았다.

"혹시 이곳에 저 말고 다른 사람이 있지 않았나요?"

직원은 잠깐 당황한 듯 주변을 둘러보았다. 카페 안은 평소처럼 조용했고, 다른 손님들은 그저 일상적인 대화를 나누거나 책을 읽고 있을 뿐이다.

"음, 다른 분은 안 계셨던 것 같은데요… 혹시 누구를 찾으시는 건가요?"

그 말이 끝나자, 머릿속에서 의심은 곧 확신으로 바뀌었다. 나는 얼어붙은 듯 그 자리에서 움직일 수 없었다.

"아… 아닙니다." 나는 말을 더듬으며 대답했다. 직원은 여전히 걱정스러운 눈빛으로 나를 바라보다가, 더 이상 묻지 않고 자리를 떠났다.

나는 그 둘이 있던 자리를 다시 한 번 바라보았다. 아까까지만 해도 확실히 있었는데, 이제 그 흔적은 어디에도 남아 있지 않았다. 청년의 흔적이라도 찾아보려 했지만, 차갑고 텅 빈 고요함만이 그 자리를 감싸고 있었다.

…

학생의 말이 머릿속을 맴돈다.

"이제 말해도 된다고? 뭘 말이지?"

나는 두 손으로 얼굴을 쓸어내리며, 약과 진단서를 챙겨 카페를 나섰다. 퇴근 시간까지 아직 시간이 남아서 그런지, 거리는 여전히 한산했다. 드문드문 지나가는 차들과 커피를 사러 나온 몇몇 회사원들만 눈에 띄었다.

걸음걸이에 힘이 풀린다. 터벅터벅 걷는 나의 걸음걸이 하나마다, 혼란스러운 생각이 진정된다. 그렇게 걸음을 걷던 도중 주차되어 있는 차를 바라본다.

차의 창문에 비친 남자의 모습은 피곤해 보였다. 손질되지 않은 머리가 제멋대로 흩어져 있었고, 후줄그레한 트레이닝복은 무기력함을 고스란히 드러내 주는 것만 같았다.

… 이것이 나의 모습이었다.

나는 아무 말 없이, 그대로 집으로 향했다.

—

어릴 적부터 망상을 좋아했다. 답이 없는 상황에서 망상은 언제나 나를 구원하듯, 내가 생각하는 대로 움직이게 마련이었으니까, 그렇기에 현실에서의 나는 주체가 되지 않아도 된다고 생각했었나 보다. 어쩌면, 나의 이상도… 그 망상의 일부이지 않을까 하는 생각이 든다. 그래서 그렇게 노력하고, 공부하고, 나아가려고 애썼겠지…

집에 쭈그려 앉아 진단서를 줄줄이 읽어보았다. 정상적이지만 정상적이지 않은… 일반적이지만 일반적이지 않은 나의 모습은 나를 더욱 아프게 만들었다.

'그러게 잘하지 그랬어…' 하아 빌어먹을 환청까지 들리기 시작한다.

웃으면서 들려오는 수많은 사람들의 비웃음 소리가 내 머릿속을 괴롭힌다. 이런 나약한 놈이… 뭐가 잘났다고 그리 좋다면서 조언을 했던가…

갑작스레 그 조언들이 떠오른다. 나는… 말하고 싶었던 것을 말했던 가? 몸을 웅크리고 앉아 조곤조곤 목소리를 내어본다.

"외로웠던거였구나…"

… 강하게 커왔던 다양한 날들이 떠오른다. 강해져야 한다고. 자신을 채찍질하던 그때를 생각한다. 그렇게 달리고 달리다. 숨이 막혀 자멸해버린, 멈춰선 지금의 나에게는, 나를 이해하지 못한 나만이 남아 있을 뿐이었다.

웅크린 나의 모습이 어떻게 보일지는 모른다. 처음이다. 조금 부끄럽다. 하지만 아무도 보지 않을 테니까. 조용히 두 팔로 나를 끌어안았다. 그리고는 괜찮다고… 무리하지 말라고 말해보았다.

소곤거리는 환청이 서서히 사라지고, 한 남자의 목소리가 들려온다. 그 목소리는 앳되면서도, 성숙한 남성의 목소리다.

"뭐하냐?"

남성은 나를 깔보듯 내려다보았다. 마치 한심하다는 듯이 내려다보는 그 눈빛은, 나를 비난하는 듯했다.

"하던 거 해야지, 남들이 바라는 이상적인 너의 모습이 되기 위해서"

남성은 나를 바라보며 다그친다. 고개를 돌리며, 그 남성의 눈을 피한다.

"이제 관둘래…"

"왜? 항상 그렇게 굳세어 보겠다고 노력해왔잖아? 이 약해빠진 자식아"

남자는 나의 약한 소리에도 굴하지 않고, 계속해서 타박한다. 그런 남자의 눈을 바라보지 못한 체 몸을 더욱 웅크린다. 그리고 이것이 망상일 거라 생각하며 조용히 귀를 막는다.

"귀를 막는다고 해도 달라지는 건 없어, 왜 또 도망갈려고?"

그 소리로부터 도망가고자 계속해서 몸을 웅크린다. 그러나 그 남자의 소리는 분명하게 들려왔다. 남자는 어느새 비꼬는 듯 말하고 있었다.

"네가 뭐 잘난 놈인 것 마냥 행동했겠지. 정해진 규칙을 따라야 한다든지, 정답에 맞춘다고! 그렇게 몰아넣었잖아!"

"난 단지… 평화롭고 싶었어"

"웃기지 마. 이 비겁자"

순간 울화가 치밀어 오르듯 숨이 턱하니 막혔다. 이내 호흡이 가빠지며 감당할 수 없는 수준의 공포를 느낀다. 그럼에도 이 분노를 어떻게든 표현해야 했다.

"어차피 아무도 들어주지 않잖아! 나의 행동, 나의 규칙, 나의 모든 것을 일방적으로 생각하고 판단 당해왔을 뿐이라고! 그런데 왜 이제 와서 나를 이렇게 괴롭히는 거야!"

남자는 그제서야 재밌다는듯 웃음을 지어 보인다. 그리고는 나와 눈을 마주보며 이야기한다.

"그래서, 만족스럽든?"

내려보는 듯한 남자의 눈빛, 그리고는 천천히 돌아오는 호흡은 알지 모르게 많은 슬픔을 가지고 왔다.

"사람들이 생각하는 모습이 나인지, 내가 생각하는 게 나인지… 진짜 모르겠어! 모르겠다고!"

남자를 보며 작게나마 흘러내리는 눈물과 함께 천천히 고개를 숙이고 다시금 몸을 웅크린다. 이런 모습에 남자는 기분이 나쁜 듯, 혐오스러운 표정으로 나를 바라보고 있다.

"그렇게, 타인이 원하는 행동을 하면 뭔가 우월한 기분이라도 들든?"

남자의 냉정하고 투박한 목소리가 가슴에 박힌다.

"그건 오만이야. 애초에 너는 네가 편해지자고, 그들이 바라는 대로 행동했을 뿐이잖아?"

"무서워. 나의 생각이, 해가 될 것 같다는 생각이"

"웃기시네, 그런 식으로 편한 길로만 가려하는 건 아니고?"

남자의 말은… 아닌 것 같으면서도 내 가슴에 비수를 꽂는 것만 같았다.

"규율, 지식, 권위. 좀 더 높은 곳에 간다고, 사람들이 네 말을 들어줄 것 같아?"

… 남자를 멍하니 바라보았다. 내심 아니라고 부정해 왔던 모든 것들이… 어떻게 보면, 나 또한 그런 식으로 높은 곳에 올라가려고 한 것이 아니었던가.

"자 그럼 묻지. 너는 너의 이야기가 있어?"

남자의 매정한 질문… 고개를 숙인다… 나는 나의 이야기가 없었다.

"보아하니 없는 모양이군. 그래, 그게 너야, 받아들여."

남자의 애처로운 목소리가 들려온다.

"네가 왜 두려운지 알아?"

남자의 싸늘한 목소리가 뇌를 울린다.

"도태되는게 무서운것이겠지, 더 자세히는…"

울먹이는 소리와 함께 들려오는 서글픈 소리

"버려지는 게, 두려운거야"

… 눈물이 흘러내린다. 맞는 말들이다… 모두 나에 대한 내용이다.
그럴 것이 이 모든 말을 내뱉고 있는 것은 나의 망상이지 않던가. 그런
데 이 남자는 왜…

"왜 그렇게 서글프게 나를 바라보고 있는거야?"

남자의 서글픈 표정은 이내 다시금 냉정을 되찾아 나를 저주하듯 노
려본다. 남자는 분명 나를 원망하고 있는 것이다. 어째서 이 남자는…
나의 망상은 나를 원망하는 것인가.

아프기에 도망갔던 이야기들을 생각해본다. 나의 외로움을 달래주
는 듯한 그 목소리들을 생각해내며, 조금씩 그 이유를 찾아… 말해보
았다.

"혹시 내가… 널 버린 거야?"

… 남자는 울컥하는 표정으로 미세하게 미소 짓는다. 그러고는 조용
히 답한다.

"이런 나도… 너야"

그 말에 충격을 받은 나는 멍하니 남자를 바라본다. 그렇게 정적이
흐른 뒤. 나는 허탈한 웃음을 지을 수밖에 없었다. 너무나도 뒤늦게…

알아버린 것이다. 나의 과오를

"버림받는 게 두려워서… 날 버려왔던 거였어… 하하…"

그런 나의 모습이 만족스러웠는지 남자는 조용히 형체가 사라져가며 말한다.

"이제 그만, 내가 널 저주하지 않게, 너 답게 살아달란 말이야."

남자의 형체가 사라진다. 허공을 바라보며 그대로 침대에 엎어진다. 천장을 바라보며 뻐끔뻐끔, 입을 움직인다. 그것은… 내가 깨달은 단 하나의 답안이었다.

"내가 나를 사랑하지 않는데, 어떻게 사랑을 받아들일 수 있겠어."

광활한 오후, 햇빛은 나의 방을 비춘다. 이 아픔이 계속될지는 모르겠지만, 뭔가가 달라진 기분이 든다. 환청은 들리지 않았고, 망상도 보이지 않았다. 몇 년 만의 조용한 시간이 흘러간다.

자리에서 일어나 청소를 한다. 오늘 청소를 끝낼 수 있을 거란 생각은 들지 않는다. 아무렴 이란 생각에 조금씩 청소를 이어간다. 끝내지 못하면 내일 하면 되지 않겠는가.

바라보는 광경이 따스했다. 너무 오랜만에 숨을 쉬는 기분을 느낀다. 숨을 쉬는 듯한

숨을 쉬는 듯한… 삶이 계속되기를…

─

멈춰선 이 곳에서, 내가 바라본 그곳은,

내가 편안한 숨을 쉴 수 있는, 나 자신을 그대로 받아들일 수 있는 그런 공간이기를… 내심 기도해본다.

멈춰서고 바라본

노혜선

노혜선　"노혜선작가"는 예술에 관심이 많으시며, 첫작품은 "멈춰서고 바라본 그곳
에서" "나의엄마" "나란사람" "과거인연" "인생" 에 대해 글을 완성하였다.

email: dlehrb103@gmail.com

나의 엄마

엄마는 항상 내게 말했다. 너가 행복하다면 엄마는 그걸로 만족한
다고 엄마는 항상 나 밖에 모른다.

어딜가나 내생각, 내걱정,

내가 봐온 엄마는 매우 열심히 봉사하면서 사는 분이시고, 엄마를
위해 사는게 아니고

남을 위해서 희생하며 사시는 멋진분이신거같다.

엄마는 힘들어도 내색 한번 내지 않는 독한 사람이다.

엄마는 항상 나를 위해 기도를 한다. 때론 엄마와 나는 이어져 있는
듯 싶다.

멀리 떨어져 있어도 엄마는 내마음을 항상 다 알아주고 먼저 챙겨
준다.

나는 엄마가 나이 먹는게 너무 무섭다.

엄마랑 함께있을시간이 얼마남지 않은듯 너무 마음이 아파온다.

있을 때 잘해야 하는데 나는 매일 사고만 치니 엄마가 별명을 지어 줬었다. 청개구리라고 나는 청개구리가 맞나 싶다.

때론 엄마는 나를 보며 푸바오 같다고 한다. 엄마가 나를 가졌을 때 태몽이 하얀 곰이라고 했다. 어쩌면 그래서 내가 기여움이 있을지도 모르겠다.

엄마는 항상 나를 보면 많이 웃으시곤 한다. 나는 그런 엄마의 모습 이 너무 행복해 보인다. 엄마 눈에는 아직도 내가 어린 아이 같을 테니 까

때론 시간이 멈췄으면 좋겠다.

엄마는 매일 그랬다. 내가 너를 두고 어떻게 눈을 감니 나는 어쩌면 엄마 껌딱지 일지도 모르겠다.

이제는 독립심을 가지고 열심히 살아보려고 노력중이다. 나는 항상 엄마한테 얘기한다.

제발 내 걱정하지 말고 엄마를 위해 사시라고. 앞으로 얼마남지 않 은 엄마의 길

내가 마져 행복하게 해주겠다고 말했다.

멋진 엄마딸이 되어 엄마 앞에 나아가는게 내꿈이다.

그게어쩌면 나도 엄마가 되가는 이유중 하나일까 싶다.

나란 사람

나란 사람은 매우 예민하다. 사람을 꿰뚫어보는 또다른 나의 매력이 아닌가 싶다.

조그마한 소리에도 잘 놀라고 냄새에도 매우 예민하다. 또한 웃음이 많다.

항상 이팔청춘 같다는 소리를 많이 듣는다.

나의 예민함 성격 때문에 때론 날카로워서 감정변화가 심하다. 하지만 이런 예민함이있어서 나는 불평스럽진않다.

세상에 장점없는 사람 없고 단점없는 사람은 없지만, 누굴 만나도 잘 맞는 사람들끼리 서로를 알아본다고 생각하듯 쉽게 친해지는 것 같다.

친해지면 속을 다 보여 주는 게 나의 단점이 아닌가 쉽다. 편한 사이일수록 더 속 깊게 배려하고 아껴줘야 하는데 생각없이 내뱉은 나의 말들이 상대에게 상처받지 않도록 무슨 행동을 하든 다 여기지 않도록 상대가 나의 이런 모습들도 그냥 가만히 웃으며 지켜봐 주는 것 들도 상대가 나에 대한 배려를 해 주는게 아닌가 쉽다.

그럴수록 나는 나의 자신을 되돌아봐야한다. 알면서도 반복되는 실수.

나란 사람은 갑작스러운 변화에도 강하고 자기주장이 확실하다.

또한, 사람을 한번 믿게 되면, 그 사람 말에 쉽게 흔들리지만, 생각을 어떻게 하고,

판단 하는 것도 나의 능력이라고 생각한다.

때론, 알면서도 상대의 거짓된 말들을 듣고 받아주고 손해를 보는

경우도 종종 있다.

내자신이 좋은 사람이라는 걸 알리고 싶었던 것일까? 나는 왜 알면서도 속아넘어가주는지 모르겠다. 그 사람과 인연을 계속 가고 싶었던 것일까? 아니면 무엇이였을까.

어릴적에는 많은 사람을 곁에 두는 것을 좋아했지만, 이제는 좁고 깊은 관계를 선호 하는 것 같다.

나는 자신한테 항상 얘기한다. "너는 이세상 누구보다 소중한 사람이야"

"너라면 다 가능해" "겁먹지 말고 너의 모습을 보여줘"

나의 답답한 마음을 누가알리 항상 혼자 품에 안고 살아간다.

과거 인연

한때 한없이 사랑했던 그 사람. 평생 같이 함께하자던 그 약속.

어느 한순간 무너지고 말았다.

관계가 부서지는 것에 무섭고 겁이났지만. 나는또 그만큼 성장을 했다고 생각한다.

철없이 마냥 그 사람한테 기대어 힘들게만 했던 나의 투정들

자식보듯 키워주웠던 그사람. 많이 힘들었을 텐데. 만나는 동안 한번도

내색 조차하지 않았다. 한편으론 마음에 좌물쇠가 있는 듯한 사람

이였다.

항상 시도때도없이 나만 바라봐주던 그 사람은 나를위해 희생하며 살아왔다.

부처님이 따로 없었다.

어린 마음에 이별은 너무나 힘듬이었다. 그때를 되돌아보면 그사람이

살아 숨쉬고 있는 것만으로 감사 할 뿐이다. 얼마나 답답했을까.

속이 썩어 문들어졌을텐데 항상 고민이나 이야기는 털어놓치 않았다. 혼자 끙끙앓고

혼자 해결하려는 사람이였다. 그래도 같이 있으면 항상 든든했다.

이런 한순간에 소중한 사람을 놓쳐버린 덕분에 이젠 다른 사랑은 두렵지 않다.

평생 잊지 못할 그 한사람 때문에 더욱 단단한 행복이 찾아올것이라 믿는다.

나는 이순간을 거쳐지나가야 되는 길이라고 생각할뿐이다.

그사람은 항상 나에게 이런 얘기를 했다 "지금 내말은 들리지 않을 것이야."

"나또한 그랬으니깐. 시간이 지나면 너도 알게 될 것이야.

이 말들이 가끔 문뜩 나에게 떠오른다.

나는 그 사람으로 인해 많은 것을 배웠다.

평생 잊지 못할 오래 기억에 남는 사람이다.

나도 평생 잊지 못할 사람으로 기억에 남고 싶다.

인생

불행은 행복을 이길수 없다. 결국 잘 해낼 수 있다는 것을 알고 있기 때문이다.

힘든 내자신에게 나는 나를 다시 일으켜 세운다.

"잘하고 있어 괜찮아" 실패도 해봐야 그 다음엔 성공 할 수 있어.

인생에서 한번쯤 슬럼프가 오기마련이다.

열심히 살았던 내모습은 어디로 사라져 점점 게을러지고 있다.

누구나 한번은 무너질 수 있다고 생각한다 이게 인생이니깐.

무너져봐야 일어날 수 있는 힘도 생기고 때론 모든 걸 다 놓아버리고 싶을때가 있지만, 이것만 견뎌내면 언젠가는 행복이 찾아온다는 것을 알고있기때문에 버틴다.

뭐든 처음부터 잘하는 사람은 아무도 없다. 이윽고 나는 내자신을 잘할꺼라고 믿으며, 완벽 잘하고말고를 떠나서 계속 나아갈 것 지친다 해도 내자신을 버리지 않을 것

실패하고 도전하고 실패하고 도전하고 언젠간 결국엔 이루어낸다.

지쳐도 달려야할때가있고 걱정,고민, 피로,절망 욕심은 나의 선택이다

사람은 바꿔쓰는거 아니라지만 나는 나를 바꾸어 내고 싶어서 더 좋
은 사람이 되려고
노력중이다.

언젠간 행복을 위해 내가 가고 싶어서 가는 길이니까.
행복은 내자신이 꺼낼수있는 힘이니까.
나는 매일을 행복하게 살아가는 사람이다.
그러니까 힘들어도 재밌게 살고 평생 행복하자.
나는 너를 응원해.

멈춰서고, 바라본 그곳에는

발행 2024년 12월 25일
지은이 김태연, 이은숙, 송준희, 경이, 류해아, 박제, 이도규, 노혜선
라이팅리더 조주헌
디자인 윤소정
펴낸이 정원우
펴낸곳 글ego
출판등록 2019.06.21 (제2019-000227호)
주소 서울시 강남구 강남대로 118길 24 3층
이메일 writing4ego@gmail.com
홈페이지 http://egowriting.com
인스타그램 @egowriting

ISBN 979-11-6666-598-1